美洲華語課本　第二冊

（注音符號　漢語拼音）

人文　科學　歷史　社會　文字

日常會話　常用字詞　基本句型

目　錄　CM-6

美洲華語課本 第二冊
編輯大綱

序　言

　　「美洲華語課本」是美洲華語編輯團隊為美洲地區，學習中華文化與語言的華裔子弟編輯的課本。全套「美洲華語課本」共12冊，適合1年級至12年級學齡的中文學校學生使用。

　　「美洲華語課本」的編輯，是以美國外語教師學會(American Council on the Teaching Foreign Languages) 制訂的「美國中、小學中文教學標準」（ACTFL Standards For Chinese Language Learning）為指標。「美洲華語課本」將與美國高中中文進階課程（Chinese Advance Placement Program, 簡稱 AP）和美國大學的中文教學相銜接。

　　ACTFL中文教學標準的五大指標（5C）為：1.培養溝通能力(communication) 2.體認中國文化與習俗(cultures) 3.貫連其他學科(connections) 4.比較中西文化特性(comparisons) 5.運用於實際生活(communities)。因此，「美洲華語課本」各冊內容的選材，是以該年級學齡學生的各科知識層面、生活經驗和對等程度的中國文化為範疇。各冊課本、作業及輔助教材的設計，則特別注重學生在聽力理解、口語表達、閱讀理解、書寫和翻譯能力等方面的學習，以達到 ”5C” 的外語教學標準。

美洲華語課本第二冊編輯要旨

　　編輯要旨包括四個重點：語音教學、字詞教學、情境教學、人文教學。

（一）語音教學

　　中國語言（以下稱漢語）是聲調型語言，語音的準確是學習漢語的基本要求。漢語的特徵是一字發一音，大多數的音有四個不同的聲調，每個音調又可能是幾個不同意思的字。如果發音不正確或停頓不恰當，就會產生誤解；如果不注意輕聲、兒化韻、音調和節律，就說不出準確的漢語，克服不了洋腔洋調。因此，為了幫助學生養成準確發音的好習慣，本書的作法為：

（1）本書標音為注音符號及漢語拼音並用，注音符號系採用台灣標準辭典標音，漢語拼音則依照美國大學教科書漢語拼音為準。因此，一些字有兩種不的標音，例如：除「夕」，注音符號為四聲，漢語拼音為一聲；其他詞語如星「期」、「蝸」牛、「叔」叔、「跌」倒…等。若有標音上的差異，對於標音不同者，請老師自行決定採用何種發音方法。。

（2）兒化韻的發音是在漢語拼音之後加r，國字部分則把「兒」字縮小，如「花兒」。有些詞的尾音為輕聲，如「裡面」的「面」，本冊在「面」的底邊加雙橫線表示輕讀，注音符號則維持原音第四聲，而不把注音符號改為輕聲。

（3）用「漢語節律符号」為課文、故事和會話的句子標明音步、輕讀、音調和節律。本冊使用的「漢語節律符号」如下：

X̲　　文字下面下劃淺藍色線條表示音步（音步和音步間稍停頓）。

X̲̲　　文字下面加雙線表示讀得輕短，大多是輕聲。許多字詞尾音的發音為輕聲者，該字詞的注音符號版以輕聲或輕讀〈加雙線〉來表示，例如：先生、上面、衣服

∼　表示延長；　→　表示句調為平調

ノ　表示揚調

丶　表降調

（二）字詞教學

　　中國文字（以下稱漢字）是圖畫文字。每個「字」是形、意、音結合的語言符號。本書引導學生對漢字的學習，著重以下幾點：

（1）用大量的圖畫來介紹生字和生詞。用圖畫來說明造字的原理和表達字詞的含意，最能加深學生對字形、字義的認識和記憶。本冊以160幅圖畫來幫忙學生學習120個生字及其相關的常用詞語。

（2）字、詞的學習，採用「觸類旁通」的方式。譬如：他會游泳。他不會來了，爸爸去開會了。他才來了一會兒。在以上的語句中，「會」這個字的意思不同。如果課文中是「他會游泳」，其他「會」的面貌，就會出現在課本的故事、會話和其他課文之中。例如「會」在本冊，就一再出現三十多次。

（3）生字的學習，需認識字的部件、部首和筆順。每個漢字是由一個或數個部件組成。學生熟悉生字的字根、部件和書寫的筆順，有助於學生對字形、字義的瞭解和記憶。所以在課本和作業本中，都有生字筆順的圖解。對於已經出現過的字根或部件，課本中就不再重複其筆畫。目的是要加深學生對字根或部件的認識。但是在作業本中，仍然有全字的筆順圖解，以方便學生習寫時模仿。

（三）情境教學

　　學習語言最自然最有效的方法，就是在情境中學習。本書為學生設計了兩種情境學習的方式：

（1）連環圖畫故事：故事的內容，以生動活潑的連環圖片呈現出來。每幅旁白書寫的文字，儘量採用已學過的字詞，並將該課生字、生詞運用在故事裡。連環圖畫故事不但幫助學生在情境中明白該課生字、生詞的含意和運用，更複習了以前學過的字詞。老師可借用有趣動人的圖畫和故事，吸引學生進入故事情境，引導學生一遍又一遍地讀故事、說故事，使學生在故事的情節和對白中，學習如何適當地使用語言。

（2）會話練習：使用語言與人溝通是學習語言的首要目的。根據學生平日常遇到的情境，以所學過的常用字詞，做對話方式的練習，讓學生所學的能運用在生活裡。

2

（四）人文教學

語文教學就是人文教學，是編寫「美洲華語」的基本理念。本書的課文和故事含有人文教育的義意，作業本中也設計了和課文故事相關的親子話題。本冊的親子話題特別著重良好的生活習慣的養成，所以名為「生活教育」。話題包括：冷靜、分享、互愛、牙齒保健、愛護地球、愛惜時間、守信、助人和學習。本書以日常生活的實例，希望孩子在熟讀課本後，進而思考故事中的人文意義，以設身處地的立場，探討所孕育的人文生活規範，再延伸到孩子日常生活中的品德學習。

美洲華語第二冊編輯方式與內容

「美洲華語」第二冊的課本的編排，是正（繁）體字＋注音符號及漢語拼音。每冊附有作業和一本生字卡。

「美洲華語」第二冊內容的編寫是以美洲地區小學二年級學生各項學科的知識水平與生活經驗為範疇。本書系統化地把兒童文學、生活倫理、人文關懷、自然科學等中國和美國本土文化素材，用淺顯易懂的文字編寫成可愛的人文故事、短文、童謠和兒歌，使學童能在有樂趣的語文學習情境中學習，達到寓教於樂的目的。

「美洲華語」第二冊共有十課。每課自成一單元，分成三大部份：課文、語文練習及說故事。

（一）課文

（1）每課有一或二篇的文章。課文的型態包括短文、散文、現代童詩和古詩。文字淺顯易懂、語調琅琅上口、內容詼諧有趣是本書課文的特色。

（2）本書根據詞組和語意以淺藍色的線條和符號標出節律，學生只需根據節律符號朗讀，就能以抑揚頓挫的語調讀出課文的情趣。

（二）語文練習：包括四部分

（1）生字寫一寫：本冊生字共120個字，每課有12個字，分兩週學習，每週各習寫六個字。對字筆順的教法以部件觀念為主。採用這種教法，可以幫助學生分析生字的組合便於記憶。

（2）詞語讀一讀：本冊每個生字所列的兩個常用詞，均符合學生年齡的程度，不但口語化且生活化，讓學生能運用在日常生活中。

（3）看圖說一說：為加深學生對常用詞的瞭解和記憶，每個常用詞均配有圖畫說明，老師也可以帶領學生做看圖造句的練習。

（4）句子練習：本冊列出課文中符合二年級學生程度、重要而且常用的句型，讓學生反覆做造句練習。以回答或對話的方式讓學生從情境中做句子練習。

（三）說故事

　　本冊的故事題材涵蓋了知識、生活、寓言、童話、中國民間故事、文學名著等等。每課故事有11幅圖，旁白文字包括學過的字詞，本課的生字、和幾個將要學的生字。每幅旁白平均約30個字，學過的字詞佔80％以上。每課故事根據詞組和語意，標有淺藍色線條的音步、輕讀、和兒化韻的發音，幫助學生在口述故事時，發音清楚、語調自然。

美洲華語課本第二冊教學進度與流程

　　本冊一共十課，每課10頁，內容豐富。每課自成一單元並有18頁的作業配合課堂學習。每課的教學進度可訂為三週，每週上課2至3小時。
教學流程，建議如下：

第一週

（一）說故事
　（1）老師先用自己的話語和本課故事的旁白把故事說一遍故事。
　（2）然後再出示連環圖畫的掛圖，順著圖片再說一遍故事。
　（3）運用「老師問，小朋友答」中所提供的問題，檢視學生對故事的了解程度
　　　　和使用口語回答的能力。
　（4）老師帶領學生逐字逐句地跟著唸，遇到本課生字需加以解釋。

（二）念課文
　　老師解說完課文大意，再依照節律符號帶領學生朗讀，以抑揚頓挫的語調讀出課文的情趣。

（三）教生字、詞語、句子練習
　　學生已聽過故事和念過課文，對生字已經不陌生了。老師依筆法、筆順、部件介紹第一週的六個生字，然後再教詞語。課本附有詞語圖片，輔助學生對生字詞語的理解和運用。接著再教句子練習，學生先唸熟例句，再逐步引導學生由字、詞擴展句子的能力。

（四）說明本週作業
　　每週作業有六頁，星期一到星期四，每天一頁。星期五有兩頁，一頁是語文，另一頁是故事內容的選擇題。老師可利用下課前10分鐘，為學生略作解說本週作業內容。

（五）上一課的複習測驗

4

第二週

(一) 說故事

　　老師重述故事之後，讓全班學生在台下分組練習說故事，每組兩人互相輪流說故事。老師和輪值家長幫忙矯正各組發音和語調。

(二) 念課文

　　老師帶領學生熟讀課文，須特別留意學生字詞發音和語調的正確。務必能夠說得流利或能背誦。

(三) 教生字、詞語、句子練習

　　老師幫助學生複習上週學過的六個生字。然後，依筆法、筆順、部件介紹本週的六個生字。

(四) 說明本週作業

　　可循第一週的模式。

第三週

(一) 說故事

　　每組（兩人）輪流上台說故事。讓學生練習看著掛圖說出故事的內容。務必讓每個學生都有機會上台，學生經過日積月累的訓練，開口說漢語就不再是難事了。

(二) 複習前兩週所學的故事、課文、生字和生詞。

　　可以讓學生用生詞練習口語造句。

(三) 說明本週作業

　　第三週的作業，星期一到星期四，每天一頁是本週故事的填充，讓學生有機會練習使用本課和以前學過的字詞。星期五有兩頁，一頁是語文，另一頁是親子話題作業。請老師用2-3分鐘的時間稍加解說，幫助學生瞭解人文涵意。

　　　　　　「美洲華語第二冊」編輯組　于美國加州橙縣　2006年8月1日再版

5

第 一 課　課文：倉頡造字

cāng jié zào zì
倉頡造字

wǔ qiān nián qián yǒu ge rén
五千年前有個人，

tā de míng zi jiào cāng jié
他的名字叫倉頡，

tā bǎ tú huà biàn wén zì
他把圖畫變文字，

hǎo xué hǎo niàn yòu hǎo jì
好學好念又好記。

6

日（rì）月（yuè）水（shuǐ）火（huǒ）山（shān）木（mù）石（shí），

耳（ěr）目（mù）心（xīn）手（shǒu）口（kǒu）舌（shé）牙（yá），

想（xiǎng）想（xiang）還（hái）有（yǒu）哪（nǎ）些（xiē）字（zì）？

牛（niú）羊（yáng）馬（mǎ）象（xiàng）鳥（niǎo）蟲（chóng）魚（yú）。

圖畫：picture   變：change   好學：easy to learn

好念：easy to read   好記：easy to remember   還有哪些：what else

7

cí yǔ dú yì* dú
詞ㄘ 語ㄩˇ 讀ㄉㄨˊ 一ㄧˋ 讀ㄉㄨˊ：

niú 牛ㄋㄧㄡˊ	mǎ 馬ㄇㄚˇ	niǎo 鳥ㄋㄧㄠˇ	yú 魚ㄩˊ	míng 名ㄇㄧㄥˊ	zì 字ㄗˋ
niú yóu 牛ㄋㄧㄡˊ油ㄧㄡˊ	mǎ lù 馬ㄇㄚˇ路ㄌㄨˋ	xiǎo niǎo 小ㄒㄧㄠˇ鳥ㄋㄧㄠˇ	shā yú 鯊ㄕㄚ魚ㄩˊ	míng zi 名ㄇㄧㄥˊ字ㄗ˙	wén zì 文ㄨㄣˊ字ㄗˋ
niú ròu 牛ㄋㄧㄡˊ肉ㄖㄡˋ	mǎ tǒng 馬ㄇㄚˇ桶ㄊㄨㄥˇ	niǎo cháo 鳥ㄋㄧㄠˇ巢ㄔㄠˊ	diào yú 釣ㄉㄧㄠˋ魚ㄩˊ	yǒu míng 有ㄧㄡˇ名ㄇㄧㄥˊ	xiě zì 寫ㄒㄧㄝˇ字ㄗˋ

kàn tú shuō yì shuō
看ㄎㄢˋ 圖ㄊㄨˊ 說ㄕㄨㄛ 一ㄧˋ 說ㄕㄨㄛ：　〔用上面的詞語〕

牛油	馬路	馬桶	鳥巢
鯊魚	釣魚	名字	寫字

shēng zì xiě yì xiě
生ㄕㄥ 字ㄗˋ 寫ㄒㄧㄝˇ 一ㄧˋ 寫ㄒㄧㄝˇ：

niú
牛ㄋㄧㄡˊ —— 牛 午 牛 牛

mǎ
馬ㄇㄚˇ —— 馬 馬 馬 馬 馬 馬 馬 馬 馬 馬

* 在正音字典裡「一」不變調。按照一般語音規律，字標原音，「一」的原音是「一」，
　但為了幫助孩子讀音準確，此字在本書標音採用讀音。

8

鳥 ^{niǎo} — 鳥 鳥 鳥 鳥 鳥 鳥 鳥 鳥

魚 ^{yú} — 魚 魚 魚 魚

名 ^{míng} — 名 夕 夕 名

字 ^{zì} — 字 字 字 字

句子練習：
_{jù zi liàn xí}

名字 (name)
_{míng zi}

：我叫林友友，你叫什麼名字？
_{wǒ jiào lín yǒu yǒu　　nǐ jiào shén me míng zi}

：我的中文名字是石青，大家都
_{wǒ de zhōng wén míng zi shì shí qīng　　dà jiā dōu}

　　叫我青青。
　　_{jiào wǒ qīng qing}

：你好！我是江禾中，請問你叫
_{nǐ hǎo　　wǒ shì jiāng hé zhōng　　qǐng wèn nǐ jiào}

　　什麼名字？
　　_{shén me míng zi}

：你好！我的中文名字是 ＿ ＿ ＿ 。
_{nǐ hǎo　　wǒ de zhōng wén míng zi shì}

中文：Chinese　　什麼：what

cí yǔ dú yì dú
詞語讀一讀：

mā 媽	ér 兒	fēn 分	bǎ 把	yòu 又	hé 合
mā ma 媽媽	ér zi 兒子	fēn shù 分數	mén bǎ 門把	yòu shì 又是	hé zuò 合作
nǚ ér 女兒	fēn kāi 分開	bǎ shǒu 把手	yòu lái le 又來了	hé qǐ lái 合起來	

kàn tú shuō yì shuō
看圖說一說： 〔用上面的詞語〕

媽媽　　女兒　　分數　　分開來

門把　　又來了　　合作　　合起來

shēng zì xiě yì xiě
生字寫一寫：

mā
媽 —— 媽 媽

ér
兒 —— 兒 兒 兒 兒 兒 兒 兒 兒

10

分ㄈㄣ — 分分

把ㄅㄚˇ — 把把把把

又ㄧㄡˋ — 又又

合ㄏㄜˊ — 合合合合

句ㄐㄩˋ子ㄗˇ練ㄌㄧㄢˋ習ㄒㄧˊ：

合ㄏㄜˊ (to put together, to combine)

：「手ㄕㄡˇ」和ㄏㄜˊ「巴ㄅㄚ」合ㄏㄜˊ起ㄑㄧˇ來ㄌㄞˊ是ㄕˋ什ㄕㄣˊ麼ㄇㄜ字ㄗˋ？

：是ㄕˋ「把ㄅㄚˇ」。

：「女ㄋㄩˇ」和ㄏㄜˊ「子ㄗˇ」合ㄏㄜˊ起ㄑㄧˇ來ㄌㄞˊ是ㄕˋ什ㄕㄣˊ麼ㄇㄜ字ㄗˋ？

：是ㄕˋ「好ㄏㄠˇ」

又ㄧㄡˋ (also)

1. 倉ㄘㄤ頡ㄐㄧㄝˊ把ㄅㄚˇ圖ㄊㄨˊ畫ㄏㄨㄚˋ變ㄅㄧㄢˋ文ㄨㄣˊ字ㄗˋ，好ㄏㄠˇ學ㄒㄩㄝˊ又ㄧㄡˋ好ㄏㄠˇ記ㄐㄧˋ。

2. 我ㄨㄛˇ的ㄉㄜ名ㄇㄧㄥˊ字ㄗˋ好ㄏㄠˇ念ㄋㄧㄢˋ又ㄧㄡˋ好ㄏㄠˇ寫ㄒㄧㄝˇ。

合起來： to put together

11

第 一 課

說故事：中中教中文
(zhōng zhong jiāo zhōng wén)

1

Paul 的爸爸送給 Paul
(de bà ba sòng gěi)

一件上衣，上面有
(yí jiàn shàng yī　shàng mian yǒu)

三個字。
(sān ge zì)

2

Paul 說這三個字
(shuō zhè sān ge zì)

念 Wall Eye Knee，
(niàn)

就是 I Love You。
(jiù shì)

3

可是，中中說
(kě shì　zhōng zhong shuō)

這三個字應該念：
(zhè sān ge zì yīng gāi niàn)

「我愛你。」
(wǒ ài nǐ)

大家說中中
(dà jiā shuō zhōng zhong)

會中文，真了不起。
(huì zhōng wén　zhēn liǎo bù qǐ)

12

4

⊙ 日 sun
☽ 月 moon
⛰ 山 mountain
人 人 people
女 女 female

老師要中中教大家中文。中中就教他們：

日、 月、 山、

人、 女。

5

兒 son
馬 horse
鳥 bird
魚 fish

中中又教他們：

兒、 馬、 鳥、 魚。

大家都說：

「 Ah! Easy! Easy! 」

6

女＋馬→媽 mother
八＋刀→分 divide
minute
cent

中中又把兩個字

合起來， 變成另外

一個字。 Paul 說：

「 Ah! Magic! Magic! 」

13

7

大家都說學中文
dà jiā dōu shuō xué zhōng wén

太好玩兒了。
tài hǎo wánr le

大家都想學中文。
dà jiā dōu xiǎng xué zhōng wén

8

中中告訴大家，
zhōng zhong gào su dà jiā

學中文，四個聲調
xué zhōng wén sì ge shēng diào

很重要。
hěn zhòng yào

9

中中要大家跟他念：
zhōng zhong yào dà jiā gēn tā niàn

媽媽騎馬，
mā ma qí mǎ

馬慢媽媽罵馬。
mǎ màn mā ma mà mǎ

大家很用心地念，
可是念來念去，
還是念得亂七八糟。

校長看見大家
都叫中中 Mom! Mom!
Mom!...嚇了一大跳，
不知道發生了
什麼事？

老師問，小朋友回答：

＊ Paul 的衣服上面寫了什麼字？

＊「女」和「馬」合起來是什麼字？

＊中中一共教了幾個中國字？

＊中中要大家跟著他一起念什麼？

第 二 課　　　課文：小羊要吃花兒

山上一朵小白花兒，

小羊要吃她，

小白花兒哭著說：

「請你不要吃我！

不要吃我！」

大黃牛看見了，
就笑著說：「小羊！
花兒是看的，不是吃的。
你去找青草吃吧！」

小羊想了想，
就去找青草吃了。

cí yǔ dú yì dú
詞語 讀 一 讀：

duǒ 朵	xiǎng 想	yào 要	qīng 青	chī 吃	yáng 羊
yì duǒ 一 朵	xiǎng yào 想 要	bú yào 不 要	qīng cài 青 菜	chī fàn 吃 飯	shān yáng 山 羊
ěr duo 耳 朵	xiǎng xiǎng kàn 想 想 看	zhòng yào 重 要	qīng jiāo 青 椒	gěi nǐ chī 給 你 吃	mián yáng 綿 羊

kàn tú shuō yì shuō
看 圖 說 一 說：〔用上面的詞語〕

一朵　　想想看　　不要　　青菜

吃飯　　給你吃　　山羊　　綿羊

shēng zì xiě yì xiě
生 字 寫 一 寫：

duǒ
朵 —— 朵 朵 朵

xiǎng
想 —— 想 想 想

yào
要一ㄠˋ —— 要要要要要要要

qīng
青ㄑㄥ —— 青青青青青

chī
吃ㄔ —— 吃吃吃吃

yáng
羊一ㄤˊ —— 羊羊羊羊羊羊

jù zi liàn xí
句ㄐㄩˋ子ㄗˇ練ㄌㄧㄢˋ習ㄒㄧˊ：

chī
吃ㄔ (to eat)

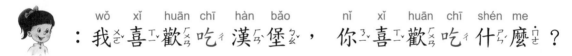

wǒ xǐ huān chī hàn bǎo   nǐ xǐ huān chī shén me
：我ㄨㄛˇ喜ㄒㄧˇ歡ㄏㄨㄢ吃ㄔ漢ㄏㄢˋ堡ㄅㄠˇ，你ㄋㄧˇ喜ㄒㄧˇ歡ㄏㄨㄢ吃ㄔ什ㄕㄣˊ麼ㄇㄜ˙？

wǒ xǐ huān chī
：我ㄨㄛˇ喜ㄒㄧˇ歡ㄏㄨㄢ吃ㄔ Pizza。

xiǎng yào   xiǎng qù   xiǎng wán   xiǎng chī
想ㄒㄧㄤˇ要一ㄠˋ、想ㄒㄧㄤˇ去ㄑㄩˋ、想ㄒㄧㄤˇ玩ㄨㄢˊ、想ㄒㄧㄤˇ吃ㄔ (to want to ___)

xīng qī tiān   nǐ xiǎng qù nǎ lǐ wánr
1. ：星ㄒㄧㄥ期ㄑㄧ天ㄊㄧㄢ，你ㄋㄧˇ想ㄒㄧㄤˇ去ㄑㄩˋ哪ㄋㄚˇ裡ㄌㄧˇ玩ㄨㄢˊ兒ㄦˊ？

wǒ xiǎng qù kàn diàn yǐng
：我ㄨㄛˇ想ㄒㄧㄤˇ去ㄑㄩˋ看ㄎㄢˋ電ㄉㄧㄢˋ影一ㄥˇ。

nǐ xiǎng yào shén me shēng ri lǐ wù
2. ：妳ㄋㄧˇ想ㄒㄧㄤˇ要一ㄠˋ什ㄕㄣˊ麼ㄇㄜ˙生ㄕㄥ日ㄖˋ禮ㄌㄧˇ物ㄨˋ？

wǒ xiǎng yào yí ge
：我ㄨㄛˇ想ㄒㄧㄤˇ要一ㄠˋ一一ˊ個ㄍㄜˋ＿＿＿＿＿＿＿。

喜歡：to like   漢堡：hamburger   電影：movie   禮物：present

19

cí　yǔ　dú　yì　dú
詞ぢ 語ǔ 讀ㄉㄨˊ 一ㄧ 讀ㄉㄨˊ：

yán 言ㄧㄢ	qǐng 請ㄑㄧㄥ	zhǎo 找ㄓㄠ	huáng 黃ㄏㄨㄤ	jiù 就ㄐㄧㄡ	shuō 說ㄕㄨㄛ
yǔ yán 語ㄩ 言ㄧㄢ	qǐng zuò 請ㄑㄧㄥ 坐ㄗㄨㄛ	zhǎo qián 找ㄓㄠ 錢ㄑㄧㄢ	huáng sè 黃ㄏㄨㄤ 色ㄙㄜ	jiù shì 就ㄐㄧㄡ 是ㄕ	shuō huà 說ㄕㄨㄛ 話ㄏㄨㄚ
fāng yán 方ㄈㄤ 言ㄧㄢ	qǐng jià 請ㄑㄧㄥ 假ㄐㄧㄚ	zhǎo dào 找ㄓㄠ 到ㄉㄠ	dàn huáng 蛋ㄉㄢ 黃ㄏㄨㄤ	jiù lái 就ㄐㄧㄡ 來ㄌㄞ	shuō huǎng 說ㄕㄨㄛ 謊ㄏㄨㄤ

kàn　tú　shuō　yì　shuō
看ㄎㄢ 圖ㄊㄨ 說ㄕㄨㄛ 一ㄧ 說ㄕㄨㄛ：　　〔用上面的詞語〕

語言	請坐	請假	找錢
蛋黃	就是	說話	說謊

shēng　zì　xiě　yì　xiě
生ㄕㄥ 字ㄗ 寫ㄒㄧㄝ 一ㄧ 寫ㄒㄧㄝ：

yán
言ㄧㄢˊ —— 言 言 言 言 言

qǐng
請ㄑㄧㄥ —— 請 請

20

找 zhǎo —— 找 找 找 找 找

黃 huáng —— 黃 黃 黃 黃 黃 黃 黃 黃

就 jiù —— 就 就 就 就 就 就 就 就

說 shuō —— 說 說 說 說 說

jù zi liàn xí
句子練習：

zhǎo
找 (to find, to look for)

nǐ zài zhǎo shén me
：你在找什麼？

wǒ zài zhǎo wǒ de bái mào zi
：我在找我的白帽子。

zhǎo bú dào zhǎo zhǎo kàn zhǎo dào le
找不到(can't find) / 找找看(try to find) / 找到了(have found)

wǒ zhǎo bú dào wǒ de hóng bǐ le
：我找不到我的紅筆了！

zhǎo zhao kan shū bāo lǐ yǒu méi yǒu
：找找看！書包裡有沒有？

a wǒ zhǎo dào le xiè xie nǐ
：啊！我找到了！謝謝你。

帽子：hat   書：book   筆：pen   謝謝你：thank you

21

第 二 課　　　說故事：鳥媽媽的蛋不見了

鳥媽媽要生蛋了。
她每天生一個蛋，
到了第四天——

鳥媽媽一看，
只有三個蛋，
就大叫：「不好了！
少了一個！我要去找！
我要去找！」

鳥媽媽在青草地上找，
找來找去找不到。
小黃花兒說：「妳看，
小山羊在那兒
吃青草，快去問他吧！」

22

4

niǎo mā ma wèn xiǎo shān yáng
鳥媽媽問小山羊，

yǒu méi you kàn jiàn tā de dàn
有沒有看見她的蛋，

xiǎo shān yáng shuō
小山羊說：

méi kàn jiàn
「沒看見。」

5

niǎo mā ma yòu qù wèn
鳥媽媽又去問

xiǎo huáng niú yǒu méi you kàn jiàn
小黃牛，有沒有看見

tā de dàn xiǎo huáng niú shuō
她的蛋，小黃牛說：

méi kàn jiàn
「沒看見。」

6

niǎo mā ma yòu qù wèn jīn yú
鳥媽媽又去問金魚，

yǒu méi you kàn jiàn tā de dàn
有沒有看見她的蛋。

jīn yú shuō méi kàn jiàn
金魚說：「沒看見。」

7

鳥媽媽又去問小紅馬，有沒有看見她的蛋。

小紅馬說：

「沒看見。」

8

鳥媽媽找了一天都沒找到她的蛋。

天快黑了，她哭著飛回鳥巢。

9

蜘蛛說：「不要哭，哭沒有用，

妳好好想一想，

那個蛋在哪裡。」

24

噢ㄡˋ！鳥ㄋㄧㄠˇ媽ㄇㄚ媽ㄇㄚ想ㄒㄧㄤˇ起ㄑㄧˇ來ㄌㄞˊ了ㄌㄜ，
她ㄊㄚ今ㄐㄧㄣ天ㄊㄧㄢ沒ㄇㄟˊ生ㄕㄥ蛋ㄉㄢˋ，
蛋ㄉㄢˋ還ㄏㄞˊ在ㄗㄞˋ肚ㄉㄨˋ子ㄗ裡ㄌㄧˇ。
鳥ㄋㄧㄠˇ媽ㄇㄚ媽ㄇㄚ一ㄧˊ用ㄩㄥˋ力ㄌㄧˋ，
就ㄐㄧㄡˋ把ㄅㄚˇ蛋ㄉㄢˋ生ㄕㄥ下ㄒㄧㄚˋ來ㄌㄞˊ了ㄌㄜ。

啊ㄚ！鳥ㄋㄧㄠˇ媽ㄇㄚ媽ㄇㄚ很ㄏㄣˇ高ㄍㄠ興ㄒㄧㄥ，
她ㄊㄚ的ㄉㄜ四ㄙˋ個ㄍㄜ蛋ㄉㄢˋ
都ㄉㄡ在ㄗㄞˋ鳥ㄋㄧㄠˇ巢ㄔㄠˊ裡ㄌㄧˇ了ㄌㄜ，
一ㄧˊ個ㄍㄜ也ㄧㄝˇ沒ㄇㄟˊ少ㄕㄠˇ。

　老師問，小朋友回答：

＊第一個跟鳥媽媽說話的是誰？

＊鳥媽媽問了哪些動物？

＊是誰勸鳥媽媽不要哭？

＊鳥媽媽一共生了幾個蛋？

第 三 課　　　課文：開玩笑
kāi wán xiào

有一天，爸爸和中中在吃午飯。
yǒu yì tiān　　bà ba hé zhōng zhong zài chī wǔ fàn

爸爸說：
bà ba shuō

「我可以吃兩個包子，
wǒ kě yǐ chī liǎng ge bāo zi

還可以喝一杯牛奶。」
hái kě yǐ hē yì bēi niú nǎi

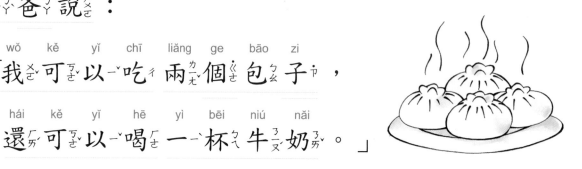

爸爸問中中：
bà ba wèn zhōng zhong

「你呢？
nǐ ne

你可以吃
nǐ kě yǐ chī

幾個包子？」
jǐ ge bāo zi

喝：drink　　動物：animal　　餅乾：cookie　　動物餅乾：animal shaped cookie

26

中中說：

「我不吃包子，我要吃九頭牛，

還要吃很多魚。」

爸爸說：「真的嗎？ 太可怕了吧！」

中中說：

「哈！ 哈！ 我要吃的是動物餅乾嘛！」

cí yǔ dú yì dú
詞語讀一讀：

bà	kě	yǐ	pà	wǔ	hěn
爸	可	以	怕	午	很

bà ba	kě shì	yǐ qián	kě pà	zhōng wǔ	hěn hǎo
爸爸	可是	以前	可怕	中午	很好
	kě yǐ	yǐ wéi	hài pà	wǔ fàn	hěn dà
	可以	以為	害怕	午飯	很大

kàn tú shuō yì shuō
看圖說一說：〔用上面的詞語〕

爸爸　　可以　　以前　　可怕

害怕　　中午　　很好　　很大

shēng zì xiě yì xiě
生字寫一寫：

bà
爸 ── 爸爸爸爸爸

kě
可 ── 可可可

28

以 yǐ — 以 以 以 以

怕 pà — 怕 怕 怕 怕

午 wǔ — 午 午 午

很 hěn — 很 很 很 很 很 很 很 很 很

句子練習：jù zi liàn xí

可以 kě yǐ (can, may)

1.
：你可以吃幾個肉包子？
nǐ kě yǐ chī jǐ ge ròu bāo zi

：我可以吃三個肉包子。
wǒ kě yǐ chī sān ge ròu bāo zi

2.
：老師！我可以去廁所嗎？
lǎo shī wǒ kě yǐ qù cè suǒ ma

：可以！快去吧！
kě yǐ kuài qù ba

很 hěn (very)

：這本書很好看。
zhè běn shū hěn hǎo kàn

：是呀！我也很喜歡看。
shì ya wǒ yě hěn xǐ huān kàn

老師：teacher   廁所：restroom   快：hurry

cí yǔ dú yì dú
詞ˊ 語ˇ 讀ㄉㄨˊ 一ˊ 讀ㄉㄨˊ：

tài 太ㄊㄞˋ	nǎi 奶ㄋㄞˇ	hái 還ㄏㄞˊ	bāo 包ㄅㄠ	zhēn 真ㄓㄣ	gè 個ㄍㄜˋ
tài dà 太ㄊㄞˋ 大ㄉㄚˋ	niú nǎi 牛ㄋㄧㄡˊ 奶ㄋㄞˇ	hái méi lái 還ㄏㄞˊ 沒ㄇㄟˊ 來ㄌㄞˊ	shū bāo 書ㄕㄨ 包ㄅㄠ	zhēn de 真ㄓㄣ 的ㄉㄜ	yí ge 一ˊ 個ㄍㄜˋ
tài tai 太ㄊㄞˋ 太ㄊㄞ˙	nǎi nai 奶ㄋㄞˇ 奶ㄋㄞ˙	huán gěi 還ㄏㄨㄢˊ 給ㄍㄟˇ	bāo zi 包ㄅㄠ 子ㄗ˙	zhēn hǎo wánr 真ㄓㄣ 好ㄏㄠˇ 玩ㄨㄢˊ 兒ㄦ	gè zi 個ㄍㄜˋ 子ㄗ˙

kàn tú shuō yì shuō
看ㄎㄢˋ 圖ㄊㄨˊ 說ㄕㄨㄛ 一ˊ 說ㄕㄨㄛ：　　〔用上面的詞語〕

太大　　　　牛奶　　　　奶奶　　　　還沒來

還給　　　　包子　　　　真好玩兒　　　一個

shēng zì xiě yì xiě
生ㄕㄥ 字ㄗˋ 寫ㄒㄧㄝˇ 一ˊ 寫ㄒㄧㄝˇ：

tài
太ㄊㄞˋ —— 大 太

nǎi
奶ㄋㄞˇ —— 奶 奶 奶

還 ㄏㄞˊ (hái) —— 還 還 還 還 還 還 還 還

包 ㄅㄠ (bāo) —— 包 包 包 包 包

真 ㄓㄣ (zhēn) —— 真 真 真 真 真 真 真 真 真 真

個 ㄍㄜˋ (gè) —— 個 個 個 個 個 個 個

句ㄐㄩˋ 子ㄗˇ 練ㄌㄧㄢˋ 習ㄒㄧˊ （jù zi liàn xí）：

還ㄏㄞˊ （hái）（also）

：我ㄨㄛˇ 吃ㄔ 了ㄌㄜ 一ㄧ 個ㄍㄜˋ 漢ㄏㄢˋ 堡ㄅㄠˇ ，還ㄏㄞˊ 吃ㄔ 了ㄌㄜ 一ㄧ 個ㄍㄜˋ 蘋ㄆㄧㄥˊ 果ㄍㄨㄛˇ 。
（wǒ chī le yí ge hàn bǎo hái chī le yí ge píng guǒ）

：我ㄨㄛˇ 吃ㄔ 了ㄌㄜ 十ㄕˊ 個ㄍㄜˋ 水ㄕㄨㄟˇ 餃ㄐㄧㄠˇ ，還ㄏㄞˊ 喝ㄏㄜ 了ㄌㄜ 一ㄧ 杯ㄅㄟ 牛ㄋㄧㄡˊ 奶ㄋㄞˇ 。
（wǒ chī le shí ge shuǐ jiǎo hái hē le yì bēi niú nǎi）

還ㄏㄞˊ （hái）（still）

1. ：你ㄋㄧˇ 們ㄇㄣ 的ㄉㄜ 功ㄍㄨㄥ 課ㄎㄜˋ 做ㄗㄨㄛˋ 完ㄨㄢˊ 了ㄌㄜ 嗎ㄇㄚ ？
（nǐ men de gōng kè zuò wán le ma）

：我ㄨㄛˇ 做ㄗㄨㄛˋ 完ㄨㄢˊ 了ㄌㄜ ，他ㄊㄚ 還ㄏㄞˊ 沒ㄇㄟˊ 做ㄗㄨㄛˋ 完ㄨㄢˊ 。
（wǒ zuò wán le tā hái méi zuò wán）

2. ：鳥ㄋㄧㄠˇ 媽ㄇㄚ 媽ㄇㄚ 的ㄉㄜ 蛋ㄉㄢˋ 呢ㄋㄜ ？
（niǎo mā ma de dàn ne）

：哈ㄏㄚ ！哈ㄏㄚ ！哈ㄏㄚ ！還ㄏㄞˊ 在ㄗㄞˋ 她ㄊㄚ 的ㄉㄜ 肚ㄉㄨˋ 子ㄗˇ 裡ㄌㄧˇ ！
（hā hā hā hái zài tā de dù zi lǐ）

水餃：dumpling　　　功課：homework　　　做完：finish　　　蛋：egg

31

yǒu yǒu de wǔ fàn

1

xià kè le
下ㄒㄧㄚˋ課ㄎㄜˋ了ㄌㄜ！

sì ge xiǎo péng you
四ㄙˋ個ㄍㄜ小ㄒㄧㄠˇ朋ㄆㄥˊ友ㄧㄡ

yì qǐ chī wǔ fàn
一ㄧˋ起ㄑㄧˇ吃ㄔ午ㄨˇ飯ㄈㄢˋ。

2

qīng qing shuō　　　tài hǎo le
青ㄑㄧㄥ青ㄑㄧㄥ說ㄕㄨㄛ：「太ㄊㄞˋ好ㄏㄠˇ了ㄌㄜ！

wǒ de wǔ fàn yǒu miàn bāo
我ㄨㄛˇ的ㄉㄜ午ㄨˇ飯ㄈㄢˋ有ㄧㄡˇ麵ㄇㄧㄢˋ包ㄅㄠ，

hái yǒu guǒ zhī
還ㄏㄞˊ有ㄧㄡˇ果ㄍㄨㄛˇ汁ㄓ。」

3

míng ming shuō　　　tài hǎo le
明ㄇㄧㄥˊ明ㄇㄧㄥ說ㄕㄨㄛ：「太ㄊㄞˋ好ㄏㄠˇ了ㄌㄜ！

wǒ de wǔ fàn
我ㄨㄛˇ的ㄉㄜ午ㄨˇ飯ㄈㄢˋ

yǒu huǒ tuǐ sān míng zhì
有ㄧㄡˇ火ㄏㄨㄛˇ腿ㄊㄨㄟˇ三ㄙㄢ明ㄇㄧㄥˊ治ㄓˋ，

hái yǒu niú nǎi
還ㄏㄞˊ有ㄧㄡˇ牛ㄋㄧㄡˊ奶ㄋㄞˇ。」

4

中中說：「太好了！我的午飯有水餃、玉米湯，還有一包花生米。」

5

友友打開飯盒一看，啊？飯盒是空的！

6

小朋友都笑了起來。

33

7

友(ㄧㄡˇ)友(ㄧㄡˇ)說(ㄕㄨㄛ)：「真(ㄓㄣ)糟(ㄗㄠ)糕(ㄍㄠ)！
我(ㄨㄛˇ)忘(ㄨㄤˋ)了(ㄌㄜ)把(ㄅㄚˇ)午(ㄨˇ)飯(ㄈㄢˋ)
放(ㄈㄤˋ)進(ㄐㄧㄣˋ)飯(ㄈㄢˋ)盒(ㄏㄜˊ)裡(ㄌㄧˇ)了(ㄌㄜ)。」

8

青(ㄑㄧㄥ)青(ㄑㄧㄥ)說(ㄕㄨㄛ)：「沒(ㄇㄟˊ)關(ㄍㄨㄢ)係(ㄒㄧ)！
我(ㄨㄛˇ)可(ㄎㄜˇ)以(ㄧˇ)把(ㄅㄚˇ)麵(ㄇㄧㄢˋ)包(ㄅㄠ)
分(ㄈㄣ)給(ㄍㄟˇ)你(ㄋㄧˇ)。」

9

明(ㄇㄧㄥˊ)明(ㄇㄧㄥˊ)說(ㄕㄨㄛ)：「沒(ㄇㄟˊ)關(ㄍㄨㄢ)係(ㄒㄧ)！
我(ㄨㄛˇ)可(ㄎㄜˇ)以(ㄧˇ)把(ㄅㄚˇ)牛(ㄋㄧㄡˊ)奶(ㄋㄞˇ)
分(ㄈㄣ)給(ㄍㄟˇ)你(ㄋㄧˇ)。」

34

10

中中說：「沒關係！
我可以把水餃
和花生米分給你。」

11

友友說：
「這頓午飯真好吃！
謝謝你們！」

老師問，小朋友回答：

＊哪四個小朋友一起吃飯？

＊青青的午飯帶些什麼？

＊明明的午飯帶些什麼？

＊中中的午飯帶些什麼？

＊最後友友的午飯有些什麼？

第 四 課　　課文： 猜猜看

林老師每天都看見兩個

小朋友在大門前面玩兒。

有一天， 林老師問：

「小朋友， 你們兩個，

誰是哥哥， 誰是弟弟？」

中_{ㄓㄨㄥ}中_{ㄓㄨㄥ}馬_{ㄇㄚ}上_{ㄕㄤ}說_{ㄕㄨㄛ}：

「哥_{ㄍㄜ}哥_{ㄍㄜ}！我_{ㄨㄛ}們_{ㄇㄣ}都_{ㄉㄡ}不_{ㄅㄨ}要_{ㄧㄠ}說_{ㄕㄨㄛ}，

請_{ㄑㄧㄥ}她_{ㄊㄚ}猜_{ㄘㄞ}猜_{ㄘㄞ}看_{ㄎㄢ}。」

林_{ㄌㄧㄣ}老_{ㄌㄠ}師_ㄕ笑_{ㄒㄧㄠ}著_{ㄓㄜ}說_{ㄕㄨㄛ}：

「啊_ㄚ！我_{ㄨㄛ}猜_{ㄘㄞ}到_{ㄉㄠ}了_{ㄌㄜ}，

他_{ㄊㄚ}是_ㄕ哥_{ㄍㄜ}哥_{ㄍㄜ}，你_{ㄋㄧ}是_ㄕ弟_{ㄉㄧ}弟_{ㄉㄧ}。」

cí　yǔ　dú　yì　dú
詞語讀一讀：

qián 前	mén 門	cāi 猜	liǎng 兩	men 們	dōu 都
qián　tiān 前天	kāi　mén 開門	cāi　cāi　kàn 猜猜看	liǎng　ge 兩個	nǐ　men 你們	dōu　yǒu 都有
qián　miàn 前面	mén　líng 門鈴	cāi　quán 猜拳	liǎng　miàn 兩面	wǒ　men 我們	shǒu　dū 首都

kàn　tú　shuō　yì　shuō
看圖說一說：〔用上面的詞語〕

前面　　開門　　門鈴　　猜拳

兩個　　兩面　　你們　　都有

shēng　zì　xiě　yì　xiě
生字寫一寫：

qián
前 —— 前 前 前 前 前 前

mén
門 —— 門 門 門 門 門 門 門 門

猜 ^{ㄘㄞ} — 猜 猜 猜 猜

兩 ^{ㄌㄧㄤˇ} — 兩 兩 兩 兩 兩 兩 兩 兩

們 ^{˙ㄇㄣ} — 們 們

都 ^{ㄉㄡ} — 都 都 都 都 都 都 都 都

句^{ㄐㄩˋ}子^{˙ㄗ}練^{ㄌㄧㄢˋ}習^{ㄒㄧˊ}：

猜^{ㄘㄞ}(to guess)

 ：猜^{ㄘㄞ}猜^{ㄘㄞ}看^{ㄎㄢˋ}，門^{˙ㄇㄣ}邊^{ㄅㄧㄢ}有^{ㄧㄡˇ}一^ㄧ個^{˙ㄍㄜ}「人^{ㄖㄣˊ}」是^{ㄕˋ}什^{ㄕㄣˊ}麼^{˙ㄇㄜ}

字^{ㄗˋ}？

 ：是^{ㄕˋ}「們^{˙ㄇㄣ}」。我^{ㄨㄛˇ}猜^{ㄘㄞ}對^{ㄉㄨㄟˋ}了^{˙ㄌㄜ}嗎^{˙ㄇㄚ}？

 ：妳^{ㄋㄧˇ}猜^{ㄘㄞ}對^{ㄉㄨㄟˋ}了^{˙ㄌㄜ}！

都^{ㄉㄡ}(always)

 ：你^{ㄋㄧˇ}們^{˙ㄇㄣ}早^{ㄗㄠˇ}飯^{ㄈㄢˋ}都^{ㄉㄡ}喝^{ㄏㄜ}什^{ㄕㄣˊ}麼^{˙ㄇㄜ}？

 ：我^{ㄨㄛˇ}每^{ㄇㄟˇ}天^{ㄊㄧㄢ}都^{ㄉㄡ}喝^{ㄏㄜ}牛^{ㄋㄧㄡˊ}奶^{ㄋㄞˇ}。

 ：我^{ㄨㄛˇ}每^{ㄇㄟˇ}天^{ㄊㄧㄢ}都^{ㄉㄡ}喝^{ㄏㄜ}果^{ㄍㄨㄛˇ}汁^ㄓ。

邊：side　　對：right　　早飯：breakfast　　喝：drink

cí　yǔ　dú　yì　dú
詞ㄘ 語ㄩ 讀ㄉㄨ 一ㄧ 讀ㄉㄨ ：

shéi 誰ㄕㄟ	lǎo 老ㄌㄠ	gē 哥ㄍㄜ	dì 弟ㄉㄧ	wèn 問ㄨㄣ	měi 每ㄇㄟ
shéi de 誰ㄕㄟ 的ㄉㄜ	lǎo rén 老ㄌㄠ 人ㄖㄣ	gē ge 哥ㄍㄜ 哥ㄍㄜ	dì di 弟ㄉㄧ 弟ㄉㄧ	qǐng wèn 請ㄑㄧㄥ 問ㄨㄣ	měi tiān 每ㄇㄟ 天ㄊㄧㄢ
shéi lái le 誰ㄕㄟ 來ㄌㄞ 了ㄌㄜ	lǎo shǔ 老ㄌㄠ 鼠ㄕㄨ	biǎo gē 表ㄅㄧㄠ 哥ㄍㄜ	táng dì 堂ㄊㄤ 弟ㄉㄧ	wèn tí 問ㄨㄣ 題ㄊㄧ	měi cì 每ㄇㄟ 次ㄘ

kàn　tú　shuō　yì　shuō
看ㄎㄢ 圖ㄊㄨ 說ㄕㄨㄛ 一ㄧ 說ㄕㄨㄛ ：　〔用上面的詞語〕

誰的　　誰來了　　老人　　老鼠

哥哥　　弟弟　　請問　　每天

shēng　zì　xiě　yì　xiě
生ㄕㄥ 字ㄗ 寫ㄒㄧㄝ 一ㄧ 寫ㄒㄧㄝ ：

shéi
誰ㄕㄟ —— 誰 誰 誰 誰 誰 誰 誰 誰 誰

lǎo
老ㄌㄠ —— 老 老 老 老

哥ㄍㄜ — 哥哥

弟ㄉㄧˋ — 弟弟弟弟弟弟弟

問ㄨㄣˋ — 問問

每ㄇㄟˇ — 每每每每每每每

句ㄐㄩˋ子ㄗˇ練ㄌㄧㄢˋ習ㄒㄧˊ：

請ㄑㄧㄥˇ問ㄨㄣˋ (excuse me, as in asking a question)

(Scene : Telephone conversation)

1. ：喂ㄨㄟˋ！ 我ㄨㄛˇ是ㄕˋ明ㄇㄧㄥˊ明ㄇㄧㄥˊ。 請ㄑㄧㄥˇ問ㄨㄣˋ青ㄑㄧㄥ青ㄑㄧㄥ在ㄗㄞˋ家ㄐㄧㄚ嗎ㄇㄚ？

：我ㄨㄛˇ就ㄐㄧㄡˋ是ㄕˋ青ㄑㄧㄥ青ㄑㄧㄥ， 明ㄇㄧㄥˊ明ㄇㄧㄥˊ妳ㄋㄧˇ好ㄏㄠˇ！

2. ：請ㄑㄧㄥˇ問ㄨㄣˋ哪ㄋㄚˇ裡ㄌㄧˇ有ㄧㄡˇ洗ㄒㄧˇ手ㄕㄡˇ間ㄐㄧㄢ？

：往ㄨㄤˇ前ㄑㄧㄢˊ走ㄗㄡˇ， 就ㄐㄧㄡˋ在ㄗㄞˋ右ㄧㄡˋ手ㄕㄡˇ邊ㄅㄧㄢ。

每ㄇㄟˇ天ㄊㄧㄢ (everyday)

：妳ㄋㄧˇ每ㄇㄟˇ天ㄊㄧㄢ怎ㄗㄣˇ麼ㄇㄜ上ㄕㄤˋ學ㄒㄩㄝ？

：我ㄨㄛˇ每ㄇㄟˇ天ㄊㄧㄢ走ㄗㄡˇ路ㄌㄨˋ上ㄕㄤˋ學ㄒㄩㄝ。

家：home　　哪裡：where　　洗手間：restroom　　往：toward　　怎麼：how
走路：walk

41

第 四 課　　說故事：叔叔的謎語

1

中中和哥哥都說，
叔叔的這頂帽子
真好看。

2

叔叔說：「那麼我說
一個謎語，你們
誰猜對了，
我就把帽子
送給誰。」

3

叔叔說：「你們
猜猜看，什麼動物
在小的時候
有四條腿，

4

長大以後有兩條腿，
老了以後又有
三條腿呢？」

5

中中和哥哥坐著想、
站著想、躺著想，
左想右想，就是
想不出來。

6

哥哥看見一位
老先生從前面
走過，就笑著說：
「啊！我猜到了！
是人。」

43

7

哥哥說：「人在很小的時候，用手和腳爬著走，就像有四條腿。

8

長大了，會站起來走路，就是有兩條腿。

9

人老了用拐杖，就像有三條腿。」

10

叔叔說：「哥哥
猜對了。這頂帽子
就給哥哥啦！」

11

哥哥說：
「我給弟弟吧！」
中中說：
「啊！不行！不行！
這是哥哥的。　　　」

老師問，小朋友回答：

＊誰說了一個謎語？

＊為什麼說人在小的時候有四條腿？

＊為什麼說人老了有三條腿？

＊猜對謎語的人可以得到什麼東西？

＊誰猜對了謎語？

第 五 課　　　課文：請開門

「砰！砰！砰！

請開門。」

「請問你是誰？」

「我是田奶奶，我送水果來給你吃。

快過來開門吧！」

「不是，不是。

你不是田奶奶，

請你快走開！」

「砰！砰！砰！請開門。」

「請問你是誰？」

「我是高大哥，我來送書給你爸爸，

我來送信給你媽媽，快過來開門吧！」

「不開！不開！我不開！」

爸爸媽媽沒回家，誰來也不開。」

過來：come over　　　快：hurry　　　走開：go away　　　送信：to deliver the mail

cí yǔ dú yì dú
詞 語 讀 一 讀 ：

gěi 給	lái 來	sòng 送	huí 回	jiā 家	gāo 高
gěi nǐ 給你	guò lái 過來	sòng gěi 送給	huí jiā 回家	jiā zhǎng 家長	gāo xìng 高興
ná gěi 拿給	zài lái wánr 再來玩兒	sòng tā huí jiā 送他回家	huí dá 回答	huà jiā 畫家	gāo sù gōng lù 高速公路

kàn tú shuō yì shuō
看 圖 說 一 說 ： 〔用上面的詞語〕

過來　　送給　　回家　　送他回家

回答　　家長　　畫家　　高興

shēng zì xiě yì xiě
生 字 寫 一 寫 ：

gěi
給 —— 給 給

lái
來 —— 來 來 來 來 來 來

sòng
送ㄥ —— 送送送送送送送

huí
回ㄟ —— 回回回回

jiā
家ㄚ —— 家家家家家家家家

gāo
高ㄠ —— 高高高高高高

jù zi liàn xí
句ㄩ子ㄗ練ㄌㄧㄢ習ㄒㄧ：

sòng gěi   jiāo gěi
送ㄥ給ㄟ (to give)， 交ㄠ給ㄟ (to hand to)

zhè zhī xiǎo gǒu shì shéi sòng gěi wǒ men de
1. ：這ㄓ隻ㄓ小ㄒㄧ狗ㄍ是ㄕ誰ㄟ送ㄥ給ㄟ我ㄜ們ㄇ的ㄉ？

shì gāo mā ma sòng gěi wǒ men de
：是ㄕ高ㄠ媽ㄚ媽ㄚ送ㄥ給ㄟ我ㄜ們ㄇ的ㄉ。

yǒu yǒu   nǐ de zuò yè běn jiāo gěi shéi le
2. ：友ㄡ友ㄡ， 你ㄋㄧ的ㄉ作ㄗ業ㄧㄝ本ㄅ交ㄠ給ㄟ誰ㄟ了ㄉ？

wǒ jiāo gěi lǎo shī le
：我ㄜ交ㄠ給ㄟ老ㄌ師ㄕ了ㄉ。

sòng
送ㄥ (to take... to)   (scene : in the school)

míng ming   jīn tiān shì shéi sòng nǐ lái de
：明ㄇㄧ明ㄇㄧ， 今ㄐㄧ天ㄊㄧㄢ是ㄕ誰ㄟ送ㄥ你ㄋㄧ來ㄌ的ㄉ？

wǒ mā ma sòng wǒ lái de   shéi sòng nǐ lái de ne
：我ㄜ媽ㄚ媽ㄇ送ㄥ我ㄜ來ㄌ的ㄉ。 誰ㄟ送ㄥ你ㄋㄧ來ㄌ的ㄉ呢ㄋ？

wǒ bà ba sòng wǒ lái de
：我ㄜ爸ㄅ爸ㄅ送ㄥ我ㄜ來ㄌ的ㄉ。

作業本：workbook

49

cí yǔ dú yì dú
詞語讀一讀：

guò	shū	kuài	guǒ	kāi	xìn
過	書	快	果	開	信
guò shēng rì	tú shū guǎn	kuài lè	shuǐ guǒ	kāi chē	xìn fēng
過生日	圖書館	快樂	水果	開車	信封
guò nián	shū zhuō	kuài diǎnr	guǒ zhī	kāi xué	xìn yòng kǎ
過年	書桌	快點兒	果汁	開學	信用卡

kàn tú shuō yì shuō
看圖說一說： 〔用上面的詞語〕

過生日　圖書館　書桌　快樂

水果　果汁　開車　信用卡

shēng zì xiě yì xiě
生字寫一寫：

guò
過 —— 過過過過過過過

shū
書 —— 書書書書書書書

快 ㄎㄨㄞˋ kuài —— 快 快 快 快 快

果 ㄍㄨㄛˇ guǒ —— 果 果

開 ㄎㄞ kāi —— 開 開 開 開 開

信 ㄒㄧㄣˋ xìn —— 信 信

句 ㄐㄩˋ 子 ㄗ˙ 練 ㄌㄧㄢˋ 習 ㄒㄧˊ ：
jù zi liàn xí

過 ㄍㄨㄛˋ 來 ㄌㄞˊ (come over)
guò lái

過 ㄍㄨㄛˋ 去 ㄑㄩˋ (go there)
guò qù

(Scene : Telephone conversation)

 ：喂 ㄨㄟˋ ！ 友 ㄧㄡˇ 友 ㄧㄡˇ ， 哥 ㄍㄜ 哥 送 ㄙㄨㄥˋ 給 ㄍㄟˇ 我 ㄨㄛˇ 一 ㄧ 本 ㄅㄣˇ 笑 ㄒㄧㄠˋ 話 ㄏㄨㄚˋ 書 ㄕㄨ ，
wèi yǒu yǒu gē ge sòng gěi wǒ yì běn xiào huà shū

要 ㄧㄠˋ 不 ㄅㄨˊ 要 ㄧㄠˋ 過 ㄍㄨㄛˋ 來 ㄌㄞˊ 一 ㄧ 起 ㄑㄧˇ 看 ㄎㄢˋ ？
yào bú yào guò lái yì qǐ kàn

 ：好 ㄏㄠˇ ， 我 ㄨㄛˇ 馬 ㄇㄚˇ 上 ㄕㄤˋ 過 ㄍㄨㄛˋ 去 ㄑㄩˋ 。
hǎo wǒ mǎ shàng guò qù

快 ㄎㄨㄞˋ (fast, hurry)
kuài

(In front of a car)

 ：快 ㄎㄨㄞˋ 上 ㄕㄤˋ 車 ㄔㄜ ， 要 ㄧㄠˋ 遲 ㄔˊ 到 ㄉㄠˋ 了 ㄌㄜ˙ 。
kuài shàng chē yào chí dào le

 ：你 ㄋㄧˇ 不 ㄅㄨˊ 要 ㄧㄠˋ 開 ㄎㄞ 太 ㄊㄞˋ 快 ㄎㄨㄞˋ 噢 ㄡ ！
nǐ bú yào kāi tài kuài ou

 ：放 ㄈㄤˋ 心 ㄒㄧㄣ ， 我 ㄨㄛˇ 不 ㄅㄨˊ 會 ㄏㄨㄟˋ 開 ㄎㄞ 太 ㄊㄞˋ 快 ㄎㄨㄞˋ 的 ㄉㄜ˙ 。
fàng xīn wǒ bú huì kāi tài kuài de

笑話：joke　　一起：together　　車：car　　遲到：be late　　開車：to drive a car

51

説故事：中ㄓㄨㄥ中ㄓㄨㄥ的ㄉㄜ門ㄇㄣˊ牙ㄧㄚˊ

1

青ㄑㄧㄥ青ㄑㄧㄥ說ㄕㄨㄛ：「我ㄨㄛˇ的ㄉㄜ門ㄇㄣˊ牙ㄧㄚˊ掉ㄉㄧㄠˋ了ㄌㄜ。我ㄨㄛˇ把ㄅㄚˇ它ㄊㄚ送ㄙㄨㄥˋ給ㄍㄟˇ牙ㄧㄚˊ仙ㄒㄧㄢ子ㄗˇ，牙ㄧㄚˊ仙ㄒㄧㄢ子ㄗˇ就ㄐㄧㄡˋ送ㄙㄨㄥˋ給ㄍㄟˇ我ㄨㄛˇ這ㄓㄜˋ本ㄅㄣˇ書ㄕㄨ！」

2

友ㄧㄡˇ友ㄧㄡˇ也ㄧㄝˇ說ㄕㄨㄛ：「上ㄕㄤˋ星ㄒㄧㄥ期ㄑㄧ我ㄨㄛˇ的ㄉㄜ門ㄇㄣˊ牙ㄧㄚˊ掉ㄉㄧㄠˋ了ㄌㄜ，我ㄨㄛˇ把ㄅㄚˇ它ㄊㄚ送ㄙㄨㄥˋ給ㄍㄟˇ牙ㄧㄚˊ仙ㄒㄧㄢ子ㄗˇ，她ㄊㄚ就ㄐㄧㄡˋ送ㄙㄨㄥˋ給ㄍㄟˇ我ㄨㄛˇ一ㄧˊ塊ㄎㄨㄞˋ錢ㄑㄧㄢˊ！」

3

中ㄓㄨㄥ中ㄓㄨㄥ說ㄕㄨㄛ：「唉ㄞ！我ㄨㄛˇ的ㄉㄜ門ㄇㄣˊ牙ㄧㄚˊ鬆ㄙㄨㄥ了ㄌㄜ，可ㄎㄜˇ是ㄕˋ掉ㄉㄧㄠˋ不ㄅㄨˊ下ㄒㄧㄚˋ來ㄌㄞˊ。」

4

友友說：「你用舌頭頂頂看！」

中中用舌頭用力頂，可是沒有用。

5

青青說：「你咬一口蘋果，試試看！」

6

中中用力咬蘋果，一不小心，跌了一跤。

53

7

中ㄓㄨㄥ中ㄓㄨㄥ大ㄉㄚˋ叫ㄐㄧㄠˋ:「啊ㄚ！

我ㄨㄛˇ的ㄉㄜ門ㄇㄣˊ牙ㄚˊ掉ㄉㄧㄠˋ了ㄌㄜ！

糟ㄗㄠ糕ㄍㄠ！

我ㄨㄛˇ的ㄉㄜ門ㄇㄣˊ牙ㄚˊ不ㄅㄨˊ見ㄐㄧㄢˋ了ㄌㄜ！」

8

明ㄇㄧㄥˊ明ㄇㄧㄥˊ說ㄕㄨㄛ:「大ㄉㄚˋ家ㄐㄧㄚ快ㄎㄨㄞˋ過ㄍㄨㄛˋ來ㄌㄞˊ！

快ㄎㄨㄞˋ過ㄍㄨㄛˋ來ㄌㄞˊ幫ㄅㄤ忙ㄇㄤ

找ㄓㄠˇ門ㄇㄣˊ牙ㄚˊ！」

9

中ㄓㄨㄥ中ㄓㄨㄥ說ㄕㄨㄛ:

「找ㄓㄠˇ到ㄉㄠˋ了ㄌㄜ！找ㄓㄠˇ到ㄉㄠˋ了ㄌㄜ！

我ㄨㄛˇ的ㄉㄜ門ㄇㄣˊ牙ㄚˊ在ㄗㄞˋ這ㄓㄜˋ裡ㄌㄧˇ！」

10

中中高高興興地回家，
他把門牙放進
盒子裡，再把盒子
和信放在枕頭底下，
等牙仙子來拿。

11

信上說：
「親愛的牙仙子：
我想要一頂像哥哥
那樣的帽子，可以嗎？
中中上」

老師問，小朋友回答：

*青青說她的故事書是誰送的？

*中中的牙齒是怎麼掉的？

*中中把牙齒放在哪裡？

*中中問牙仙子要什麼？

第 六 課　　　課文：小河的歌 (xiǎo hé de gē)

「小河 (xiǎo hé)，小河 (xiǎo hé)，

你在唱什麼歌 (nǐ zài chàng shén me gē)？

唱得真好聽 (chàng de zhēn hǎo tīng)，

請你告訴我 (qǐng nǐ gào su wǒ)。」

「我從高山上流下來 (wǒ cóng gāo shān shàng liú xia lai)，

我在唱山之歌 (wǒ zài chàng shān zhī gē)。」

「小河 (xiǎo hé)，小河 (xiǎo hé)，

你在唱什麼歌 (nǐ zài chàng shén me gē)？

唱得真好聽 (chàng de zhēn hǎo tīng)，

請你告訴我 (qǐng nǐ gào su wǒ)。」

「我要流到大海裡去 (wǒ yào liú dào dà hǎi lǐ qu)，

我在唱海之歌 (wǒ zài chàng hǎi zhī gē)。」

告訴：to tell　　　山之歌：song of the mountain
海之歌：song of the sea

56

課文： 登（ㄉㄥ）鸛（ㄍㄨㄢˋ）鵲（ㄑㄩㄝˋ）樓（ㄌㄡˊ）
dēng guàn què lóu

王（ㄨㄤˊ）之（ㄓ）渙（ㄏㄨㄢˋ）
wáng zhī huàn

白（ㄅㄞˊ）日（ㄖˋ）依（ㄧ）山（ㄕㄢ）盡（ㄐㄧㄣˋ），
bái rì yī shān jìn

黃（ㄏㄨㄤˊ）河（ㄏㄜˊ）入（ㄖㄨˋ）海（ㄏㄞˇ）流（ㄌㄧㄡˊ），
huáng hé rù hǎi liú

欲（ㄩˋ）窮（ㄑㄩㄥˊ）千（ㄑㄧㄢ）里（ㄌㄧˇ）目（ㄇㄨˋ），
yù qióng qiān lǐ mù

更（ㄍㄥˋ）上（ㄕㄤˋ）一（ㄧ）層（ㄘㄥˊ）樓（ㄌㄡˊ）。
gèng shàng yì céng lóu

White sunlight disappears from the hillside,
Yellow river flows on into the sea.
Desiring to scan the thousand-mile vista
I climb another story of the pagoda.
Translate By Innes Herdan

「唐詩三百首」遠東圖書公司出版

註：節律符號錄自「經典古詩美讀」
　　吳潔敏、朱宏達 主編

57

cí yǔ dú yì dú
詞語讀一讀：

hé 河	shén 什	me 麼	gē 歌	liú 流	hǎi 海
huáng hé 黃河	yǒu shén me 有什麼	zhè me duō 這麼多	ér gē 兒歌	liú hàn 流汗	hǎi biān 海邊
hé mǎ 河馬	shén me 什麼	duō me 多麼	guó gē 國歌	liú xīng 流星	hǎi tún 海豚

kàn tú shuō yì shuō
看圖說一說：　〔用上面的詞語〕

黃河　　河馬　　有什麼　　這麼多

國歌　　流汗　　海邊　　海豚

shēng zì xiě yì xiě
生字寫一寫：

hé
河 —— 河河河河

shén
什 —— 什什

麼 ㄇㄜ˙ —— 麼 麼 麼 麼 麼 麼

歌 ㄍㄜ —— 歌 歌 歌 歌 歌

流 ㄌㄧㄡˊ —— 流 流 流 流 流 流 流

海 ㄏㄞˇ —— 海 海

句 ㄐㄩˋ 子 ㄗˇ 練 ㄌㄧㄢˋ 習 ㄒㄧˊ ：

什 ㄕㄣˊ 麼 ㄇㄜ˙ (what)

1. ：妳 ㄋㄧˇ 的 ㄉㄜ˙ 書 ㄕㄨ 包 ㄅㄠ 裡 ㄌㄧˇ 有 ㄧㄡˇ 什 ㄕㄣˊ 麼 ㄇㄜ˙ ？

   ：我 ㄨㄛˇ 的 ㄉㄜ˙ 書 ㄕㄨ 包 ㄅㄠ 裡 ㄌㄧˇ 有 ㄧㄡˇ 書 ㄕㄨ， 還 ㄏㄞˊ 有 ㄧㄡˇ 筆 ㄅㄧˇ。

2. ：妳 ㄋㄧˇ 在 ㄗㄞˋ 唱 ㄔㄤˋ 什 ㄕㄣˊ 麼 ㄇㄜ˙ 歌 ㄍㄜ？ 真 ㄓㄣ 好 ㄏㄠˇ 聽 ㄊㄧㄥ。

   ：我 ㄨㄛˇ 在 ㄗㄞˋ 唱 ㄔㄤˋ 生 ㄕㄥ 日 ㄖˋ 快 ㄎㄨㄞˋ 樂 ㄌㄜˋ 歌 ㄍㄜ。

3. ：「 水 ㄕㄨㄟˇ 」 和 ㄏㄜˊ 「 每 ㄇㄟˇ 」 合 ㄏㄜˊ 起 ㄑㄧˇ 來 ㄌㄞˊ 是 ㄕˋ 什 ㄕㄣˊ 麼 ㄇㄜ˙ 字 ㄗˋ ？

   ：是 ㄕˋ 「 海 ㄏㄞˇ 」 字 ㄗˋ。

聽：hear   快樂：happy

cí yǔ dú yì dú
詞語讀一讀：

cóng 從	dào 到	dé 得	lǐ 里	lǐ 裡	rù 入
cóng qián 從前	chí dào 遲到	tiào de gāo 跳得高	yì gōng lǐ 一公里	lǐ miàn 裡面	rù kǒu 入口
cóng lái 從來	dào xué xiào 到學校	dé dào 得到	yì bǎi lǐ 一百里	jiā lǐ 家裡	

kàn tú shuō yì shuō
看圖說一說：　〔用上面的詞語〕

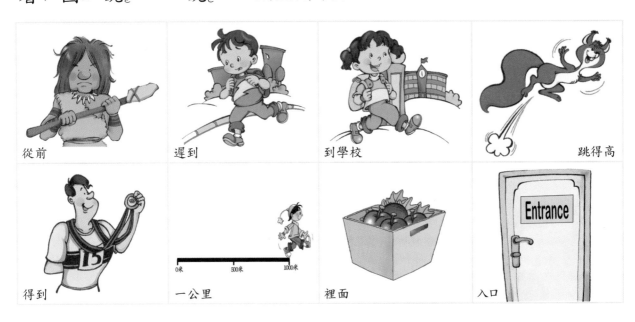

從前	遲到	到學校	跳得高
得到	一公里	裡面	入口

shēng zì xiě yì xiě
生字寫一寫：

cóng
從 —— 從從從從從從從從從

dào
到 —— 到到到到到到

得 ㄉㄜˊ —— 得得得得得得

里 ㄌㄧˇ —— 旦里

裡 ㄌㄧˇ —— 裡裡裡裡裡裡

入 ㄖㄨˋ —— 八入

句ㄐㄩˋ子ㄗˇ練ㄌㄧㄢˋ習ㄒㄧˊ：

到ㄉㄠˋ.....去ㄑㄩˋ (go to)

 ：爸ㄅㄚˋ爸ㄅㄚ到ㄉㄠˋ哪ㄋㄚˇ裡ㄌㄧˇ去ㄑㄩˋ了ㄌㄜ？

 ：爸ㄅㄚˋ爸ㄅㄚ到ㄉㄠˋ紐ㄋㄧㄡˇ約ㄩㄝ去ㄑㄩˋ開ㄎㄞ會ㄏㄨㄟˋ了ㄌㄜ。

從ㄘㄨㄥˊ (from)

 ：你ㄋㄧˇ的ㄉㄜ奶ㄋㄞˇ奶ㄋㄞ是ㄕˋ從ㄘㄨㄥˊ哪ㄋㄚˇ裡ㄌㄧˇ來ㄌㄞˊ的ㄉㄜ？

 ：她ㄊㄚ是ㄕˋ從ㄘㄨㄥˊ上ㄕㄤˋ海ㄏㄞˇ來ㄌㄞˊ的ㄉㄜ。

從ㄘㄨㄥˊ...到ㄉㄠˋ (from...to)

 ：從ㄘㄨㄥˊ我ㄨㄛˇ家ㄐㄧㄚ到ㄉㄠˋ學ㄒㄩㄝˊ校ㄒㄧㄠˋ要ㄧㄠˋ走ㄗㄡˇ十ㄕˊ分ㄈㄣ鐘ㄓㄨㄥ。

 ：從ㄘㄨㄥˊ我ㄨㄛˇ家ㄐㄧㄚ到ㄉㄠˋ學ㄒㄩㄝˊ校ㄒㄧㄠˋ要ㄧㄠˋ走ㄗㄡˇ十ㄕˊ五ㄨˇ分ㄈㄣ鐘ㄓㄨㄥ。

紐約：New York　　　開會：meeting　　　分鐘：minute

61

第 六 課　　說故事：小水滴旅行

1

一顆一顆小水滴
都睡醒了。

2

大家說：

「好舒服啊！
我們去旅行吧！」

3

他們唱著歌，
從草原上流到
小河裡。

62

一里、兩里、三里……

他們唱著歌，又從

小河裡流到大海裡。

太陽公公說：

「你們在唱什麼歌？

真好聽！你們來

天上玩兒吧！」

小水滴變得

又大又輕，

他們飛起來了。

7

他們抱在一起，
變成一朵一朵的雲。

8

一陣風吹過來，
大家說：

「好冷呀！
我們回家吧！」

9

一顆一顆小水滴
就從天上跳下來。
青蛙說：

「下雨啦！
下雨啦！」

64

10

小_{ㄒㄧㄠ}水_{ㄕㄨㄟ}滴_{ㄉㄧ}下_{ㄒㄧㄚ}在_{ㄗㄞ}樹_{ㄕㄨ}上_{ㄕㄤ}、
花_{ㄏㄨㄚ}上_{ㄕㄤ}、 草_{ㄘㄠ}上_{ㄕㄤ}……
過_{ㄍㄨㄛ}了_{ㄌㄜ}一_ㄧ會_{ㄏㄨㄟ}兒_ㄦ，
小_{ㄒㄧㄠ}水_{ㄕㄨㄟ}滴_{ㄉㄧ}都_{ㄉㄡ}累_{ㄌㄟ}得_{ㄉㄜ}
睡_{ㄕㄨㄟ}著_{ㄓㄠ}了_{ㄌㄜ}。

11

天_{ㄊㄧㄢ}亮_{ㄌㄧㄤ}了_{ㄌㄜ}！ 小_{ㄒㄧㄠ}水_{ㄕㄨㄟ}滴_{ㄉㄧ}
又_{ㄧㄡ}睡_{ㄕㄨㄟ}醒_{ㄒㄧㄥ}了_{ㄌㄜ}。
大_{ㄉㄚ}家_{ㄐㄧㄚ}說_{ㄕㄨㄛ}：
「 好_{ㄏㄠ}舒_{ㄕㄨ}服_{ㄈㄨ}啊_ㄚ！ 我_{ㄨㄛ}們_{ㄇㄣ}
再_{ㄗㄞ}去_{ㄑㄩ}旅_{ㄌㄩ}行_{ㄒㄧㄥ}吧_{ㄅㄚ}！ 」

　老師問，小朋友回答：

＊小水滴從草原流到哪裡？

＊小水滴從小河流到哪裡？

＊是誰請小水滴到天上去玩？

＊小水滴到天上變成什麼？

＊是誰說：「下雨啦！下雨啦！」？

第 七 課

課文(一)： 中國新年是春節
zhōng guó xīn nián shì chūn jié

誰知道， 一年有幾天？
shéi zhī dao / yì nián yǒu jǐ tiān

我知道！ 一年有三百六十五天。
wǒ zhī dao / yì nián yǒu sān bǎi liù shí wǔ tiān

誰知道， 一年有幾個月？
shéi zhī dao / yì nián yǒu jǐ ge yuè

我知道！ 一年有十二個月。
wǒ zhī dao / yì nián yǒu shí èr ge yuè

誰知道， 中國新年是什麼節？
shéi zhī dao / zhōng guó xīn nián shì shén me jié

我知道！
wǒ zhī dao

我知道！
wǒ zhī dao

中國新年是春節。
zhōng guó xīn nián shì chūn jié

中國：China　　中國新年：Chinese New Year
春節：Spring Festival
（右頁）窗外：outside of the window
下個：next
雪白：snowy white
世界：world
雨點：rain drop
彩色的：colorful

66

課文（二）：春天到了

沙！沙！沙！

是誰在窗外？

我是小雪花，

我只是來說再見，

下個冬天，　我會再來，

送給你一個雪白的世界。

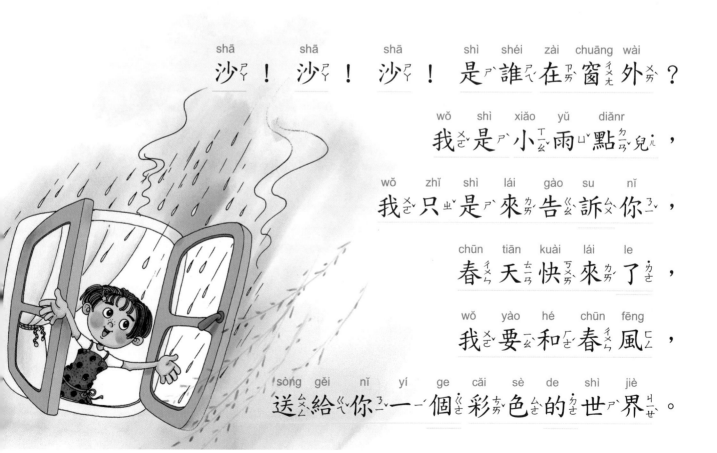

沙！沙！沙！是誰在窗外？

我是小雨點兒，

我只是來告訴你，

春天快來了，

我要和春風，

送給你一個彩色的世界。

67

cí yǔ dú yì dú
詞語 讀 一 讀：

xīn 新	nián 年	chūn 春	jǐ 幾	zhī 知	dào 道
xīn nián 新年	yì nián 一年	chūn tiān 春天	jǐ cì 幾次	bù zhī dào 不知道	rén xíng dào 人行道
xīn niáng 新娘	èr nián jí 二年級	chūn jià 春假	jǐ ge 幾個	zhī shi 知識	dào qiàn 道歉

kàn tú shuō yì shuō
看圖 說 一 說： 〔用上面的詞語〕

新年　　新娘　　二年級　　春天

幾個　　不知道　　道歉　　人行道

shēng zì xiě yì xiě
生字 寫 一 寫：

xīn
新 ── 新 新 新 新 新 新 新 新 新 新

nián
年 ── 年 年 年 年 年 年

幾 jǐ — 幾 幾 幾 幾 幾 幾 幾 幾 幾 幾 幾 幾

知 zhī — 知 知 知 知 知 知

道 dào — 道 道 道 道 道 道

春 chūn — 春 春 春 春 春 春

句子練習 jù zi liàn xí：

幾 jǐ (asking number, amount or time)

：請問妳幾歲？ 妳幾年級？
qǐng wèn nǐ jǐ suì　nǐ jǐ nián jí

：我九歲， 我二年級。
wǒ jiǔ suì　wǒ èr nián jí

：你家有幾個人？
nǐ jiā yǒu jǐ ge rén

：我家有三個人。
wǒ jiā yǒu sān ge rén

知道 zhī dào (know)

：你知道新年的前一天晚上叫什麼嗎？
nǐ zhī dao xīn nián de qián yì tiān wǎn shàng jiào shén me ma

：我知道， 叫除夕。
wǒ zhī dao　jiào chú xī

歲：year(of age)　　年級：grade　　晚上：evening; night　　除夕：New Year's Eve

69

cí yǔ dú yì dú
詞語讀一讀：

wài	zài	dōng	zhǐ	gào	sù
外 ㄨㄞˋ	再 ㄗㄞˋ	冬 ㄉㄨㄥ	只 ㄓˇ	告 ㄍㄠˋ	訴 ㄙㄨˋ
wài tào	zài jiàn	dōng tiān	zhǐ yǒu	gào zhuàng	gào su
外套 ㄨㄞˋㄊㄠˋ	再見 ㄗㄞˋㄐㄧㄢˋ	冬天 ㄉㄨㄥㄊㄧㄢ	只有 ㄓˇㄧㄡˇ	告狀 ㄍㄠˋㄓㄨㄤˋ	告訴 ㄍㄠˋㄙㄨˋ
wài guó rén	zài yí cì	dōng mián	zhǐ yào		
外國人 ㄨㄞˋㄍㄨㄛˊㄖㄣˊ	再一次 ㄗㄞˋㄧˊㄘˋ	冬眠 ㄉㄨㄥㄇㄧㄢˊ	只要 ㄓˇㄧㄠˋ		

kàn tú shuō yì shuō
看圖說一說：　〔用上面的詞語〕

外套	外國人	再見	冬天
冬眠	只要	告狀	告訴

shēng zì xiě yì xiě
生字寫一寫：

wài
外 ㄨㄞˋ —— 外 夕 夕 外 外

zài
再 ㄗㄞˋ —— 再 再 冄 再 再 再

70

dōng
冬（ㄉㄨㄥ）── 冬 冬 冬 冬 冬

zhǐ
只（ㄓˇ）── 只 只 只

gào
告（ㄍㄠˋ）── 告 告 告 告 告

sù
訴（ㄙㄨˋ）── 訴 訴 訴 訴 訴 訴

jù zi liàn xí
句（ㄐㄩˋ）子（ㄗˇ）練（ㄌㄧㄢˋ）習（ㄒㄧˊ）：

zhǐ
只（ㄓˇ）(only)

(Scene : in the classroom)

wǒ xiǎng jiè yì zhī bǐ   nǐ men yǒu duō de bǐ ma
：我（ㄨㄛˇ）想（ㄒㄧㄤˇ）借（ㄐㄧㄝˋ）一（ㄧˋ）枝（ㄓ）筆（ㄅㄧˇ），你（ㄋㄧˇ）們（ㄇㄣˊ）有（ㄧㄡˇ）多（ㄉㄨㄛ）的（ㄉㄜ˙）筆（ㄅㄧˇ）嗎（ㄇㄚ˙）？

duì bù qǐ   wǒ zhǐ yǒu zhè yì zhī
：對（ㄉㄨㄟˋ）不（ㄅㄨˋ）起（ㄑㄧˇ），我（ㄨㄛˇ）只（ㄓˇ）有（ㄧㄡˇ）這（ㄓㄜˋ）一（ㄧˋ）枝（ㄓ）。

wǒ yě zhǐ yǒu zhè yì zhī
：我（ㄨㄛˇ）也（ㄧㄝˇ）只（ㄓˇ）有（ㄧㄡˇ）這（ㄓㄜˋ）一（ㄧˋ）枝（ㄓ）。

zài
再（ㄗㄞˋ）(again)

zhè ge yóu xì zhēn hǎo wánr   wǒ men zài wánr yí cì
：這（ㄓㄜˋ）個（ㄍㄜˋ）遊（ㄧㄡˊ）戲（ㄒㄧˋ）真（ㄓㄣ）好（ㄏㄠˇ）玩（ㄨㄢˊ）兒（ㄦ˙），我（ㄨㄛˇ）們（ㄇㄣˊ）再（ㄗㄞˋ）玩（ㄨㄢˊ）兒（ㄦ˙）一（ㄧˊ）次（ㄘˋ）

ba
吧（ㄅㄚ˙）！

hǎo a   wǒ men zài wánr yí cì
：好（ㄏㄠˇ）啊（ㄚ）！我（ㄨㄛˇ）們（ㄇㄣˊ）再（ㄗㄞˋ）玩（ㄨㄢˊ）兒（ㄦ˙）一（ㄧˊ）次（ㄘˋ）。

借：borrow   對不起：sorry   遊戲：game

第 七 課　　　　說故事： 年的故事

很久以前， 高山上
有一隻長得很可怕、
很愛睡覺的怪獸。
牠的名字叫「年」。

每到冬天，
牠就會醒來一天。
天黑以後，
年就下山找東西吃。

年喜歡吃動物，
也喜歡吃人。
天黑以後， 大家
都不敢出門。

72

有一回，天還沒黑，
年突然跑下山來，
年聽見霹啪的
聲音，就嚇得跑開了。

年又看見一個
穿紅衣服的人坐在
大門外，年就嚇得
跑回山上了。

那個人告訴大家，
年怕看紅色，還怕
聽霹啪的聲音。大家
就在大門上貼紅紙，
在門外燒竹子。

那天晚上，年不敢再下山來。第二天大家出來一看，每個人都很平安，就互相說：「恭喜」。

後來，年沒有再出來過。有人說年已經餓死了。

從此以後，那天晚上就叫除夕。家家放鞭炮、吃年夜飯。

10

除(ㄔㄨˊ)夕(ㄒㄧ)晚(ㄨㄢˇ)上(ㄕㄤˋ)，家(ㄐㄧㄚ)家(ㄐㄧㄚ)
祭(ㄐㄧˋ)祖(ㄗㄨˇ)。小(ㄒㄧㄠˇ)孩(ㄏㄞˊ)子(ㄗ˙)
給(ㄍㄟˇ)長(ㄓㄤˇ)輩(ㄅㄟˋ)拜(ㄅㄞˋ)年(ㄋㄧㄢˊ)，長(ㄓㄤˇ)輩(ㄅㄟˋ)
給(ㄍㄟˇ)小(ㄒㄧㄠˇ)孩(ㄏㄞˊ)子(ㄗ˙)紅(ㄏㄨㄥˊ)包(ㄅㄠ)，
叫(ㄐㄧㄠˋ)壓(ㄧㄚ)歲(ㄙㄨㄟˋ)錢(ㄑㄧㄢˊ)。

11

第(ㄉㄧˋ)二(ㄦˋ)天(ㄊㄧㄢ)是(ㄕˋ)新(ㄒㄧㄣ)年(ㄋㄧㄢˊ)，
大(ㄉㄚˋ)家(ㄐㄧㄚ)互(ㄏㄨˋ)相(ㄒㄧㄤ)拜(ㄅㄞˋ)年(ㄋㄧㄢˊ)，
互(ㄏㄨˋ)相(ㄒㄧㄤ)說(ㄕㄨㄛ)：
「恭(ㄍㄨㄥ)喜(ㄒㄧˇ)！恭(ㄍㄨㄥ)喜(ㄒㄧˇ)！
新(ㄒㄧㄣ)年(ㄋㄧㄢˊ)好(ㄏㄠˇ)。」

　老師問，小朋友回答：

＊怪獸的名字叫什麼？

＊年害怕什麼？

＊為什麼大家要互相說「恭喜」？

＊新年的前一天叫什麼？

＊除夕晚上，大家做什麼？

第 八 課　　　課文：怎麼回家

tiān hēi le
天黑了！

tiān hēi le
天黑了！

xiǎo mǎ zěn me huí jiā
小馬怎麼回家？

xiǎo mǎ huì pǎo huí jiā
小馬會跑回家。

qīng wā zěn me huí jiā
青蛙怎麼回家？

qīng wā huì tiào huí jiā
青蛙會跳回家。

xiǎo yú zěn me huí jiā
小魚怎麼回家？

xiǎo yú huì yóu huí jiā
小魚會游回家。

小鳥怎麼回家？
小鳥會飛回家。

蝸牛怎麼回家？
蝸牛會爬回家。

天黑了！天黑了！
妹妹跟我怎麼回家？
妹妹跟我一起走回家。

77

cí yǔ dú yì dú
詞ち 語ㄩ 讀ㄉㄨ 一一 讀ㄉㄨ ：

pá 爬ㄆㄚ	pǎo 跑ㄆㄠ	tiào 跳ㄊㄧㄠ	gēn 跟ㄍㄣ	qǐ 起ㄑㄧ	mèi 妹ㄇㄟ
pá shù 爬ㄆㄚ樹ㄕㄨ	sài pǎo 賽ㄙㄞ跑ㄆㄠ	tiào shéng 跳ㄊㄧㄠ繩ㄕㄥ	fān gēn dǒu 翻ㄈㄢ跟ㄍㄣ斗ㄉㄡ	qǐ lái 起ㄑㄧ來ㄌㄞ	mèi mei 妹ㄇㄟ妹ㄇㄟ
pá shān 爬ㄆㄚ山ㄕㄢ	pǎo bù 跑ㄆㄠ步ㄅㄨ	tiào wǔ 跳ㄊㄧㄠ舞ㄨ	gēn zhe zǒu 跟ㄍㄣ著ㄓㄜ走ㄗㄡ	yì qǐ 一一起ㄑㄧ	

kàn tú shuō yì shuō
看ㄎㄢ 圖ㄊㄨ 說ㄕㄨㄛ 一一 說ㄕㄨㄛ ：　〔用上面的詞語〕

爬樹　　賽跑　　跑步　　跳繩

翻跟斗　　跟著走　　起來了　　一起唱歌

shēng zì xiě yì xiě
生ㄕㄥ 字ㄗ 寫ㄒㄧㄝ 一一 寫ㄒㄧㄝ ：

pá
爬ㄆㄚ ── 爬 爬 爬 爬 爬

pǎo
跑ㄆㄠ ── 跑 跑 跑 跑 跑 跑 跑 跑

跳 tiào ── 跳 跳 跳 跳 跳 跳 跳

跟 gēn ── 跟 跟

起 qǐ ── 起 起 起 起

妹 mèi ── 妹 妹 妹 妹 妹 妹

句子練習：

gēn
跟（ with ）

xīng qī liù　　nǐ yào gēn shéi yì qǐ qù pá shān
：星期六，你要跟誰一起去爬山？

wǒ gēn gē ge hé tā de péng you yì qǐ qù
：我跟哥哥和他的朋友一起去。

gēn
跟（ to follow ）

1.
qǐng wèn　　dà lǐ táng zài nǎ lǐ
：請問，大禮堂在哪裡？

jiù zài gián miàn　　qǐng gēn wǒ lái
：就在前面，請跟我來！

2.
lǎo shī　　zhè shǒu gē zěn me chàng
：老師，這首歌怎麼唱？

gēn zhe wǒ chàng　　wǒ chàng yí jù　　nǐ men gēn zhe
：跟著我唱。我唱一句，你們跟著

chàng yí jù
唱一句。

禮堂：auditorium

79

詞ㄘˊ 語ㄩˇ 讀ㄉㄨˊ 一ㄧˋ 讀ㄉㄨˊ ：

yóu 游ㄡˊ	hēi 黑ㄟ	fēi 飛ㄟ	zěn 怎ㄣˇ	huì 會ㄨㄟˋ	wā 蛙ㄨㄚ
yóu yǒng 游ㄡˊ 泳ㄩㄥˇ	hēi sè 黑ㄟ 色ㄙㄜˋ	fēi pán 飛ㄟ 盤ㄆㄢˊ	zěn me 怎ㄣˇ 麼ㄇㄜ	bú huì 不ㄅㄨˊ 會ㄨㄟˋ	qīng wā 青ㄑㄥ 蛙ㄨㄚ
yóu yǒng chí 游ㄡˊ 泳ㄩㄥˇ 池ㄔˊ	hēi yè 黑ㄟ 夜ㄧㄝˋ	fēi jī 飛ㄟ 機ㄐㄧ	zěn me bàn 怎ㄣˇ 麼ㄇㄜ 辦ㄅㄢˋ	kāi huì 開ㄎㄞ 會ㄨㄟˋ	wā jìng 蛙ㄨㄚ 鏡ㄐㄧㄥˋ

kàn tú shuō yì shuō
看ㄎㄢˋ 圖ㄊㄨˊ 說ㄕㄨㄛ 一ㄧˋ 說ㄕㄨㄛ ：　〔用上面的詞語〕

游泳	黑色	黑夜	飛盤
飛機	怎麼辦	開會	不會游泳

shēng zì xiě yì xiě
生ㄕㄥ 字ㄗˋ 寫ㄒㄧㄝˇ 一ㄧˋ 寫ㄒㄧㄝˇ ：

yóu
游ㄡˊ —— 游 游 游 游 游 游 游 游

hēi
黑ㄟ —— 黑 黑 黑 黑 黑 黑 黑 黑 黑

飛 ㄈㄟ —— 飛 飛 飛 飛 飛 飛 飛 飛 飛

怎 ㄗㄣˇ —— 怎 怎 怎 怎 怎 怎

會 ㄏㄨㄟˋ —— 會 會 會 會 會 會 會 會 會

蛙 ㄨㄚ —— 蛙 蛙 蛙 蛙 蛙 蛙 蛙 蛙

句ㄐㄩˋ子ㄗˇ練ㄌㄧㄢˋ習ㄒㄧˊ：

會 ㄏㄨㄟˋ (can; be able to)

：你ㄋㄧˇ們ㄇㄣ˙會ㄏㄨㄟˋ說ㄕㄨㄛ中ㄓㄨㄥ文ㄨㄣˊ嗎ㄇㄚ˙？

：我ㄨㄛˇ只ㄓˇ會ㄏㄨㄟˋ說ㄕㄨㄛ中ㄓㄨㄥ文ㄨㄣˊ，他ㄊㄚ只ㄓˇ會ㄏㄨㄟˋ說ㄕㄨㄛ英ㄧㄥ文ㄨㄣˊ。

：我ㄨㄛˇ會ㄏㄨㄟˋ說ㄕㄨㄛ中ㄓㄨㄥ文ㄨㄣˊ也ㄧㄝˇ會ㄏㄨㄟˋ說ㄕㄨㄛ英ㄧㄥ文ㄨㄣˊ。

會 ㄏㄨㄟˋ (be likely to)

：明ㄇㄧㄥˊ天ㄊㄧㄢ會ㄏㄨㄟˋ下ㄒㄧㄚˋ雨ㄩˇ嗎ㄇㄚ˙？

：我ㄨㄛˇ看ㄎㄢˋ明ㄇㄧㄥˊ天ㄊㄧㄢ不ㄅㄨˊ會ㄏㄨㄟˋ下ㄒㄧㄚˋ雨ㄩˇ。

：可ㄎㄜˇ是ㄕˋ我ㄨㄛˇ看ㄎㄢˋ明ㄇㄧㄥˊ天ㄊㄧㄢ會ㄏㄨㄟˋ下ㄒㄧㄚˋ雨ㄩˇ。

81

第 八 課　　說故事：十二生肖

1

玉皇大帝要選
十二生肖。
新年那天，
他請各種動物
來南天門吃午飯。

2

貓知道了，
就告訴老鼠。
他們約好了，
新年早上
一起去南天門。

3

可是，除夕晚上，
老鼠睡不著，
他就起來，
先跑到南天門去了。

4

老鼠第一個
lǎo shǔ dì yī ge

來到南天門，
lái dào nán tiān mén

過了一會兒，
guò le yī huìr

牛也走來了。
niú yě zǒu lái le

5

又過了一會兒，
yòu guò le yī huìr

老虎跑來了，
lǎo hǔ pǎo lái le

兔子跳來了，
tù zi tiào lái le

龍飛來了，
lóng fēi lái le

蛇也爬來了。
shé yě pá lái le

6

天亮了，雞把
tiān liàng le jī bǎ

馬、羊、猴子、
mǎ yáng hóu zi

狗和豬
gǒu hé zhū

都叫起來了。
dōu jiào qǐ lái le

7

馬走在最前面，豬
跟在最後頭。這六個
動物一起來到了
南天門。

8

到了中午，
玉皇大帝說：
「恭喜你們！
你們十二種動物
就是十二生肖了。

9

老鼠第一個到，
今年就叫鼠年，
以後就照鼠牛虎兔
龍蛇馬羊猴雞狗豬
的順序輪下去。」

84

10

大家沒看見貓，就問：「貓怎麼沒來？」老鼠說：「他還在睡覺，我沒叫醒他。」

11

大家說：「啊哈！你完蛋了！你完蛋了！貓以後不會原諒你的。」

老師問，小朋友回答：

＊玉皇大帝哪天請動物吃飯？

＊玉皇大帝請動物在什麼地方吃飯？

＊是誰第一個到南天門？

＊十二生肖的順序是什麼？

＊小朋友，你屬什麼？

第 九 課　　課文(一)：一共有幾本書

老師問中中：「如果我先給你一本書，然後再給你三本書，你一共有幾本書？」

中中說：「四本書。」

老師又問：「如果我先給你三本書，然後再給你一本書，你一共有幾本書？」中中馬上說：「八本書。」

老師問：「你剛才說四本書，為什麼現在說八本書呢？」

中中說：「剛才您不是給了我四本書嗎？」

課文(二)：　小雪手中一枝筆

小雪手中一枝筆，

什麼筆？　毛筆。

什麼毛？　羊毛。

什麼羊？　山羊。

什麼山？　高山。

高高山上山羊跑，

山羊身上長羊毛，

白白羊毛做毛筆，

毛筆好，　毛筆好，

拿起毛筆畫隻小黃鳥。

cí yǔ dú yì dú
詞語讀一讀：

zhǎng	běn	rú	xiān	ná	gòng
長	本	如	先	拿	共
zhǎng gāo	běn zi	rú guǒ	xiān chī	ná kāi	yí gòng
長高	本子	如果	先吃	拿開	一共
cháng kù	yì běn	jiǎ rú	xiān sheng	ná zhe	gòng tóng
長褲	一本	假如	先生	拿著	共同

kàn tú shuō yì shuō
看圖說一說：〔用上面的詞語〕

長高了　　長褲　　本子　　一本

你先吃一口　　先生　　拿著　　一共有

shēng zì xiě yì xiě
生字寫一寫：

zhǎng
長 ── 長長長長長長長長

běn
本 ── 木本

如 ㄖㄨˊ — 如 如

先 ㄒㄧㄢ — 先 先 先 先 先 先

拿 ㄋㄚˊ — 拿 拿

共 ㄍㄨㄥˋ — 共 共 共 共 共 共

句ㄐㄩˋ 子ㄗˇ 練ㄌㄧㄢˋ 習ㄒㄧˊ ：

先ㄒㄧㄢ…再ㄗㄞˋ (first…then)

：我ㄨㄛˇ 們ㄇㄣ 先ㄒㄧㄢ 去ㄑㄩˋ 看ㄎㄢˋ 電ㄉㄧㄢˋ 影ㄧㄥˇ ， 還ㄏㄞˊ 是ㄕˋ 先ㄒㄧㄢ 去ㄑㄩˋ 吃ㄔ

冰ㄅㄧㄥ 淇ㄑㄧˊ 淋ㄌㄧㄣˊ ？

：我ㄨㄛˇ 們ㄇㄣ 先ㄒㄧㄢ 去ㄑㄩˋ 看ㄎㄢˋ 電ㄉㄧㄢˋ 影ㄧㄥˇ ， 再ㄗㄞˋ 去ㄑㄩˋ 吃ㄔ 冰ㄅㄧㄥ 淇ㄑㄧˊ 淋ㄌㄧㄣˊ 。

：不ㄅㄨˋ ！不ㄅㄨˋ ！我ㄨㄛˇ 們ㄇㄣ 先ㄒㄧㄢ 去ㄑㄩˋ 吃ㄔ 冰ㄅㄧㄥ 淇ㄑㄧˊ 淋ㄌㄧㄣˊ 再ㄗㄞˋ 看ㄎㄢˋ 電ㄉㄧㄢˋ 影ㄧㄥˇ 。

一ㄧˊ 共ㄍㄨㄥˋ (total)

：三ㄙㄢ 隻ㄓ 羊ㄧㄤˊ 加ㄐㄧㄚ 五ㄨˇ 隻ㄓ 羊ㄧㄤˊ ， 一ㄧˊ 共ㄍㄨㄥˋ 有ㄧㄡˇ 幾ㄐㄧˇ 隻ㄓ 羊ㄧㄤˊ ？

：一ㄧˊ 共ㄍㄨㄥˋ 有ㄧㄡˇ 八ㄅㄚ 隻ㄓ 羊ㄧㄤˊ 。

冰淇淋：ice cream

cí　yǔ　dú　yì　dú
詞ㄘˊ 語ㄩˇ 讀ㄉㄨˊ 一ㄧˋ 讀ㄉㄨˊ ：

huà 畫ㄏㄨㄚˋ	bǐ 筆ㄅㄧˇ	wèi 為ㄨㄟˋ	cái 才ㄘㄞˊ	máo 毛ㄇㄠˊ	hòu 後ㄏㄡˋ
huà　tú 畫ㄏㄨㄚˋ 圖ㄊㄨˊ	qiān　bǐ 鉛ㄑㄧㄢ 筆ㄅㄧˇ	wèi　shén　me 為ㄨㄟˋ 什ㄕㄣˊ 麼ㄇㄜˊ	gāng　cái 剛ㄍㄤ 才ㄘㄞˊ	máo　yī 毛ㄇㄠˊ 衣ㄧ	yǐ　hòu 以ㄧˇ 後ㄏㄡˋ
tú　huà 圖ㄊㄨˊ 畫ㄏㄨㄚˋ	máo　bǐ 毛ㄇㄠˊ 筆ㄅㄧˇ	yīn　wèi 因ㄧㄣ 為ㄨㄟˋ	cái　lái 才ㄘㄞˊ 來ㄌㄞˊ	méi　máo 眉ㄇㄟˊ 毛ㄇㄠˊ	hòu　miàn 後ㄏㄡˋ 面ㄇㄧㄢˋ

kàn　tú　shuō　yì　shuō
看ㄎㄢˋ 圖ㄊㄨˊ 說ㄕㄨㄛ 一ㄧˋ 說ㄕㄨㄛ ：　〔用上面的詞語〕

畫圖	圖畫	彩色鉛筆	毛筆
為什麼	毛衣	眉毛	後面

shēng　zì　xiě　yì　xiě
生ㄕㄥ 字ㄗˋ 寫ㄒㄧㄝˇ 一ㄧˋ 寫ㄒㄧㄝˇ ：

huà
畫ㄏㄨㄚˋ —— 畫 畫 畫 　　| | |

bǐ
筆ㄅㄧˇ —— 筆 筆 筆 筆 筆 筆 筆 筆 筆 筆 　　| | |

為 (wèi) — 為 為 为 为 為 為

才 (cái) — 才 才 才

毛 (máo) — 毛 毛 毛 毛

後 (hòu) — 後 後 後 後 後

句子練習 (jù zi liàn xí)：

為什麼 (wèi shén me) (why)

1.
： 為什麼你遲到了？
(wèi shén me nǐ chí dào le)

： 唉！因為我起來晚了。
(āi yīn wèi wǒ qǐ lái wǎn le)

2.
： 為什麼他沒把飯吃完？
(wèi shén me tā méi bǎ fàn chī wán)

： 他說他吃不下了。
(tā shuō tā chī bú xià le)

剛才 (gāng cái) (a moment ago, just now)

： 小狗怎麼不見了？
(xiǎo gǒu zěn me bú jiàn le)

： 牠剛才從前面跑走了。
(tā gāng cái cóng qián mian pǎo zǒu le)

晚：late　　飯：meal　　完：finish

91

第 九 課　　　說故事：小雪的魔筆

1

很久很久以前，
有一個孤兒叫小雪，
她很喜歡畫畫兒。
可是，她很窮，
沒有錢買筆。

2

有一天晚上，小雪
夢見一位老奶奶，
老奶奶送給她一枝
又長又大的毛筆。

3

小雪醒來，
手裡真的拿著
一枝毛筆。小雪
很高興，就在手心上
畫了一隻小鳥。

92

4

忽然間，這隻鳥變成
真的鳥，飛走了。
啊！小雪知道了，
原來這是一枝魔筆。

5

小雪想，如果我用
這枝魔筆，畫很多
東西送給窮人，他們
就可以過好日子了。

6

於是，小雪就每天
到窮人家裡，
用這枝筆畫許多
東西送給他們。

93

7

貪心的國王知道了，
就把小雪抓進宮裡，
天天叫小雪
為他畫畫兒。

8

有一天，國王
想坐船，就叫小雪
先畫一艘大船
和一片大海，
再畫幾筆大風。

9

國王坐上了船。
不久，起風了，
船在海上走得很快。

94

10

kě shì, fēng tài dà le,
可是，風太大了，

fēng bǎ chuán chuī fān le
風把船吹翻了，

guó wáng zài yě huí bù lái le
國王再也回不來了。

11

xiǎo xuě lí kāi le wáng gōng
小雪離開了王宮。

xiǎo xuě měi tiān hái zài wèi
小雪每天還在為

qióng rén huà huàr. zhǐ shì,
窮人畫畫兒。只是，

méi yǒu rén zhī dao
沒有人知道

tā zhù zài nǎ li
她住在哪裡。

老師問，小朋友回答：

＊老奶奶送小雪什麼東西？

＊小雪畫了什麼東西飛走了？

＊小雪怎麼幫助窮人？

＊國王為什麼回不來了？

95

第 十 課　　　課文：小老鼠貝貝
（xiǎo lǎo shǔ bèi bei）

有一隻可愛的小老鼠叫貝貝。

他和爸爸、媽媽一同住在小洞裡。

有一天，貝貝在洞口外面玩兒。

不久，一隻大貓看見了貝貝，就

跳過來抓他，貝貝趕快跑進洞裡。

爸爸、媽媽看見了，就一起用力

學狗叫：「汪！汪！汪！走開！走開！」

大貓聽見狗叫，就嚇得跑開了。

貝貝問：「媽媽，你們剛才跟貓說什麼話？我怎麼聽不懂？」

媽媽說：「那是狗說的語言。」

貝貝說：「我也要學那種話。」

媽媽說：「很好！多學幾種話，真的很有用。」

嚇：scare　　剛才：just; a short while ago　　懂：understand　　語言：language

97

第 十 課　語 文 練 習　第 一 週

詞ㄘ 語ㄩˇ 讀ㄉㄨˊ 一ㄧ 讀ㄉㄨˊ ：

話ㄏㄨㄚˋ huà	出ㄔㄨ chū	學ㄒㄩㄝ xué	貝ㄅㄟˋ bèi	同ㄊㄨㄥˊ tóng	進ㄐㄧㄣˋ jìn
電ㄉㄧㄢˋ話ㄏㄨㄚˋ diàn huà	出ㄔㄨ來ㄌㄞˊ chū lái	學ㄒㄩㄝ生ㄕㄥ xué shēng	貝ㄅㄟˋ殼ㄎㄜˊ bèi ké	一ㄧˋ同ㄊㄨㄥˊ yì tóng	進ㄐㄧㄣˋ來ㄌㄞˊ jìn lái
笑ㄒㄧㄠˋ話ㄏㄨㄚˋ xiào huà	出ㄔㄨ去ㄑㄩˋ chū qù	學ㄒㄩㄝ校ㄒㄧㄠˋ xué xiào	寶ㄅㄠˇ貝ㄅㄟˋ bǎo bèi	同ㄊㄨㄥˊ學ㄒㄩㄝ tóng xué	進ㄐㄧㄣˋ步ㄅㄨˋ jìn bù

看ㄎㄢˋ 圖ㄊㄨˊ 說ㄕㄨㄛ 一ㄧ 說ㄕㄨㄛ ：　〔用上面的詞語〕

笑話	出來	學生	貝殼
一同	同學	請進來	進步

生ㄕㄥ 字ㄗˋ 寫ㄒㄧㄝˇ 一ㄧ 寫ㄒㄧㄝˇ ：

話ㄏㄨㄚˋ —— 話 話

出ㄔㄨ —— 出 出 出 出 出

98

xué
學 ㄒㄩㄝ —— 學 學 學 學 學 學 學 學 學 學 學 學 學

bèi
貝 ㄅㄟ —— 貝 貝 貝

tóng
同 ㄊㄨㄥ —— 同 同 同 同

jìn
進 ㄐㄧㄣ —— 進 進

jù zi liàn xí
句ㄐㄩ子ㄗ練ㄌㄧㄢ習ㄒㄧ：

chū lái
出ㄔㄨ 來ㄌㄞ (to come out)

chū qù
出ㄔㄨ 去ㄑㄩ (to go out)

(Scene : In front of door of Ming Ming's house)

míng ming yào bú yào chū lái gēn wǒ men yì qǐ wánr
：明ㄇㄧㄥ明ㄇㄧㄥ， 要ㄧㄠ不ㄅㄨ要ㄧㄠ出ㄔㄨ來ㄌㄞ跟ㄍㄣ我ㄨㄛ們ㄇㄣ一ㄧ起ㄑㄧ玩ㄨㄢ兒ㄦ？

tiān kuài hēi le wǒ bù xiǎng chū qù le
：天ㄊㄧㄢ快ㄎㄨㄞ黑ㄏㄟ了ㄌㄜ， 我ㄨㄛ不ㄅㄨ想ㄒㄧㄤ出ㄔㄨ去ㄑㄩ了ㄌㄜ。

hái zǎo ne chū lái wánr yī huìr ma
：還ㄏㄞ早ㄗㄠ呢ㄋㄜ！ 出ㄔㄨ來ㄌㄞ玩ㄨㄢ兒ㄦ一ㄧ會ㄏㄨㄟ兒ㄦ嘛ㄇㄚ！

xiè xie nǐ men wǒ bù xiǎng chū qù le
：謝ㄒㄧㄝ謝ㄒㄧㄝ你ㄋㄧ們ㄇㄣ， 我ㄨㄛ不ㄅㄨ想ㄒㄧㄤ出ㄔㄨ去ㄑㄩ了ㄌㄜ。

jìn
進ㄐㄧㄣ (to enter)

qīng qing nǐ lái la qǐng jìn qǐng jìn
：青ㄑㄧㄥ青ㄑㄧㄥ！ 妳ㄋㄧ來ㄌㄞ啦ㄌㄚ， 請ㄑㄧㄥ進ㄐㄧㄣ！ 請ㄑㄧㄥ進ㄐㄧㄣ！

xiè xie nǐ
：謝ㄒㄧㄝ謝ㄒㄧㄝ你ㄋㄧ！

99

詞ㄘˊ 語ㄩˇ 讀ㄉㄨˊ 一ㄧˋ 讀ㄉㄨˊ ：

dòng 洞ㄉㄨㄥˋ	lì 力ㄌㄧˋ	ài 愛ㄞˋ	jiǔ 久ㄐㄧㄡˇ	yòng 用ㄩㄥˋ	zhù 住ㄓㄨˋ
shān dòng 山ㄕㄢ 洞ㄉㄨㄥˋ	lì qì 力ㄌㄧˋ 氣ㄑㄧˋ	kě ài 可ㄎㄜˇ 愛ㄞˋ	hěn jiǔ 很ㄏㄣˇ 久ㄐㄧㄡˇ	yòng gōng 用ㄩㄥˋ 功ㄍㄨㄥ	zhù zhǐ 住ㄓㄨˋ 址ㄓˇ
pò dòng 破ㄆㄛˋ 洞ㄉㄨㄥˋ	yòng lì 用ㄩㄥˋ 力ㄌㄧˋ	wǒ ài nǐ 我ㄨㄛˇ 愛ㄞˋ 你ㄋㄧˇ	bù jiǔ 不ㄅㄨˋ 久ㄐㄧㄡˇ	yǒu yòng 有ㄧㄡˇ 用ㄩㄥˋ	zhù zài nǎr 住ㄓㄨˋ 在ㄗㄞˋ 哪ㄋㄚˇ 兒ㄦ

kàn tú shuō yì shuō
看ㄎㄢˋ 圖ㄊㄨˊ 說ㄕㄨㄛ 一ㄧˋ 說ㄕㄨㄛ ：　〔用上面的詞語〕

山洞　　破洞　　力氣　　用力

可愛　　等了很久　　用功　　住址

shēng zì xiě yi xiě
生ㄕㄥ 字ㄗˋ 寫ㄒㄧㄝˇ 一ㄧˋ 寫ㄒㄧㄝˇ ：

dòng
洞ㄉㄨㄥˋ —— 洞洞

lì
力ㄌㄧˋ —— 力力

ài
愛ㄞˋ —— 愛 愛 愛 愛 愛 愛 愛 愛

jiǔ
久ㄐㄧㄡˇ —— 久 久 久

yòng
用ㄩㄥˋ —— 用 月 月 月 用

zhù
住ㄓㄨˋ —— 住 住 住 住 住 住

jù zi liàn xí
句ㄐㄩˋ子ㄗˇ練ㄌㄧㄢˋ習ㄒㄧˊ：

yǒu yòng
有ㄧㄡˇ用ㄩㄥˋ (useful)

 ：
yáng máo hěn yǒu yòng ma   yǒu shén me yòng
羊ㄧㄤˊ毛ㄇㄠˊ很ㄏㄣˇ有ㄧㄡˇ用ㄩㄥˋ嗎ㄇㄚ？ 有ㄧㄡˇ什ㄕㄣˊ麼ㄇㄜ˙用ㄩㄥˋ？

 ：
yáng máo hěn yǒu yòng   yáng máo kě yǐ zuò yī fu
羊ㄧㄤˊ毛ㄇㄠˊ很ㄏㄣˇ有ㄧㄡˇ用ㄩㄥˋ。 羊ㄧㄤˊ毛ㄇㄠˊ可ㄎㄜˇ以ㄧˇ做ㄗㄨㄛˋ衣ㄧ服ㄈㄨˊ。

 ：
yáng máo hěn yǒu yòng   yáng máo kě yǐ zuò máo bǐ
羊ㄧㄤˊ毛ㄇㄠˊ很ㄏㄣˇ有ㄧㄡˇ用ㄩㄥˋ。 羊ㄧㄤˊ毛ㄇㄠˊ可ㄎㄜˇ以ㄧˇ做ㄗㄨㄛˋ毛ㄇㄠˊ筆ㄅㄧˇ。

jiǔ
久ㄐㄧㄡˇ (long – talking about time)

 ：
nǐ xué huà hua xué duō jiǔ le
妳ㄋㄧˇ學ㄒㄩㄝˊ畫ㄏㄨㄚˋ畫ㄏㄨㄚ˙學ㄒㄩㄝˊ多ㄉㄨㄛ久ㄐㄧㄡˇ了ㄌㄜˇ？

 ：
hěn jiǔ le   wǒ cóng liù suì jiù xué huà hua   nǐ ne
很ㄏㄣˇ久ㄐㄧㄡˇ了ㄌㄜˇ， 我ㄨㄛˇ從ㄘㄨㄥˊ六ㄌㄧㄡˋ歲ㄙㄨㄟˋ就ㄐㄧㄡˋ學ㄒㄩㄝˊ畫ㄏㄨㄚˋ畫ㄏㄨㄚ˙。 你ㄋㄧˇ呢ㄋㄜ˙？

 ：
wǒ qù nián cái xué   méi yǒu nǐ jiǔ
我ㄨㄛˇ去ㄑㄩˋ年ㄋㄧㄢˊ才ㄘㄞˊ學ㄒㄩㄝˊ， 沒ㄇㄟˊ有ㄧㄡˇ你ㄋㄧˇ久ㄐㄧㄡˇ。

做：make   衣服：clothes

101

第 十 課 說故事：西遊記（一）— 花果山

很久很久以前，
海上有一座仙山
叫「花果山」。

有一天，
山頂上的大石頭，
突然爆開，跳出
一隻小猴子來。

這隻小猴子
才一開口，就會說話。
他很可愛，大家
都愛跟他一起玩兒。

有ㄧㄡˇ一ㄧ回ㄏㄨㄟˊ，這ㄓㄜˋ群ㄑㄩㄣˊ猴ㄏㄡˊ子ㄗ
找ㄓㄠˇ到ㄉㄠˋ一ㄧˊ個ㄍㄜˋ大ㄉㄚˋ瀑ㄆㄨˋ布ㄅㄨˋ。
大ㄉㄚˋ家ㄐㄧㄚ拍ㄆㄞ手ㄕㄡˇ說ㄕㄨㄛ：
「好ㄏㄠˇ水ㄕㄨㄟˇ！好ㄏㄠˇ水ㄕㄨㄟˇ！」

一ㄧ隻ㄓ白ㄅㄞˊ毛ㄇㄠˊ老ㄌㄠˇ猴ㄏㄡˊ子ㄗ說ㄕㄨㄛ：
「有ㄧㄡˇ誰ㄕㄟˊ敢ㄍㄢˇ跳ㄊㄧㄠˋ進ㄐㄧㄣˋ去ㄑㄩˋ，
我ㄨㄛˇ們ㄇㄣ就ㄐㄧㄡˋ拜ㄅㄞˋ他ㄊㄚ
做ㄗㄨㄛˋ大ㄉㄚˋ王ㄨㄤˊ。」

那ㄋㄚˋ隻ㄓ小ㄒㄧㄠˇ猴ㄏㄡˊ子ㄗ說ㄕㄨㄛ：
「我ㄨㄛˇ去ㄑㄩˋ！我ㄨㄛˇ去ㄑㄩˋ！」
他ㄊㄚ一ㄧˊ用ㄩㄥˋ力ㄌㄧˋ，就ㄐㄧㄡˋ跳ㄊㄧㄠˋ進ㄐㄧㄣˋ
瀑ㄆㄨˋ布ㄅㄨˋ裡ㄌㄧˇ了ㄌㄜ。

103

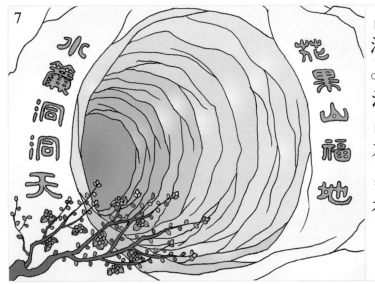

瀑_{ㄆㄨˋ}布_{ㄅㄨˋ}裡_{ㄌㄧˇ}面_{ㄇㄧㄢˋ}有_{ㄧㄡˇ}個_{ㄍㄜˋ}石_{ㄕˊ}洞_{ㄉㄨㄥˋ}。

洞_{ㄉㄨㄥˋ}口_{ㄎㄡˇ}上_{ㄕㄤˋ}有_{ㄧㄡˇ}十_{ㄕˊ}個_{ㄍㄜˋ}字_{ㄗˋ}：

花_{ㄏㄨㄚ}果_{ㄍㄨㄛˇ}山_{ㄕㄢ}福_{ㄈㄨˊ}地_{ㄉㄧˋ}，

水_{ㄕㄨㄟˇ}簾_{ㄌㄧㄢˊ}洞_{ㄉㄨㄥˋ}洞_{ㄉㄨㄥˋ}天_{ㄊㄧㄢ}。

他_{ㄊㄚ}走_{ㄗㄡˇ}進_{ㄐㄧㄣˋ}石_{ㄕˊ}洞_{ㄉㄨㄥˋ}，

看_{ㄎㄢˋ}見_{ㄐㄧㄢˋ}洞_{ㄉㄨㄥˋ}裡_{ㄌㄧˇ}有_{ㄧㄡˇ}石_{ㄕˊ}床_{ㄔㄨㄤˊ}、

石_{ㄕˊ}凳_{ㄉㄥˋ}、石_{ㄕˊ}杯_{ㄅㄟ}、石_{ㄕˊ}碗_{ㄨㄢˇ}……

他_{ㄊㄚ}高_{ㄍㄠ}興_{ㄒㄧㄥ}得_{ㄉㄜ}又_{ㄧㄡˋ}叫_{ㄐㄧㄠˋ}又_{ㄧㄡˋ}跳_{ㄊㄧㄠˋ}。

他_{ㄊㄚ}把_{ㄅㄚˇ}大_{ㄉㄚˋ}家_{ㄐㄧㄚ}都_{ㄉㄡ}叫_{ㄐㄧㄠˋ}進_{ㄐㄧㄣˋ}

洞_{ㄉㄨㄥˋ}裡_{ㄌㄧˇ}來_{ㄌㄞˊ}住_{ㄓㄨˋ}。

大_{ㄉㄚˋ}家_{ㄐㄧㄚ}很_{ㄏㄣˇ}高_{ㄍㄠ}興_{ㄒㄧㄥ}，

就_{ㄐㄧㄡˋ}拜_{ㄅㄞˋ}他_{ㄊㄚ}為_{ㄨㄟˊ}美_{ㄇㄟˇ}猴_{ㄏㄡˊ}王_{ㄨㄤˊ}。

日子過得很快樂。

可是，美猴王擔心，

如果以後妖怪來了

怎麼辦？他想出去

學些本領。

猴子們送美猴王

上船。

大家說：

「大王！大王！

你要早點兒回來！」

老師問，小朋友回答：

＊在海上的那一座仙山叫什麼山？

＊美猴王是從哪裡生出來的？

＊石洞上寫了哪些字？

＊美猴王為什麼離開花果山？

Lesson One – Text: A Man Five Thousand Years Ago

There was a man five thousand years ago,
By the name of Cang Jie,
Who changed pictures into words, and made them
Easy to learn, easy to read, and easy to memorize.
Sun, moon, water, fire, mountain, wood, and stone,
Ear, eye, heart, hand, mouth, tongue, and tooth.
What else can we think of …?
Cattle, sheep, horse, elephant, bird, insect, and fish.

Lesson One – Story: Zhong Zhong Teaching Chinese
1. Paul's dad gave him a shirt, which had 3 Chinese characters on it.
2. Paul told everyone that the 3 characters were pronounced "Wall Eye Knee", which meant 'I Love You'.
3. But Zhong Zhong said that they should be pronounced with the right tone. They all said it's great that Zhong Zhong knew how to speak Chinese.
4. The teacher asked Zhong Zhong to teach them Chinese. Zhong Zhong taught them "Sun", "Moon", "Mountain", "Human", "Son", "Daughter".
5. And he also taught them "Horse", "Bird", "Fish". "Ah! Easy! Easy!", said everyone.
6. Then Zhong Zhong combined some characters to make new characters. "Ah! Magic! Magic!" they cried.
7. Everybody felt it's so much fun to learn Chinese. They all wanted to learn Chinese.
8. "It's important to use the four tones when you speak Chinese," said Zhong Zhong.
9. Zhong Zhong asked everyone to repeat after him carefully, "Mama rides on a horse, the horse is slow, mama scolds the horse."
10. Everyone tried very hard to repeat it, but they all messed up the four tones.
11. The principal was very confused when he heard them calling Zhong Zhong 'Mom! Mom! Mom!…' He didn't know what was going on.

Lesson Two – Text: Little Lam Wants to Eat a Flower

There was a little white flower on the mountain,
A little lamb wanted to eat her,
The little white flower cried and said,
"Please do not eat me!
Do not eat me!"
A big yellow ox saw this,
He smiled and said, "Little lamb!
Flowers are for looking, not for eating.
Why don't you go find some green grass to eat?"
The little lamb thought for a moment,
And went on to find green grass to eat.

Lesson Two – Story: Mother Bird's Egg Was Missing
1. The mother bird was about to lay eggs, and she laid one egg on each day. But on the

fourth day….

2. The mother bird took a look, there were only three eggs in the nest. "Oh, no! One egg is missing! I am going to find it! I am going to find it!" she screamed.
3. The mother bird looked for the egg on the grass, but she couldn't find it. "Look!" said a little yellow flower, "A goat is eating grass over there, why don't you ask him?"
4. The mother bird went asking the goat if he has seen her egg, the goat said he didn't.
5. The mother bird went asking a cow if he has seen her egg, the cow said he didn't.
6. The mother bird went asking a gold fish if she has seen her egg, the fish said she didn't.
7. The mother bird went asking a red horse if she has seen her egg, the horse said she didn't.
8. The mother bird looked for her egg all day long, but she couldn't find it anywhere. It was getting dark, she flew back to her nest crying.
9. "Don't cry, it's no use to keep crying," said a spider, "Just try to think where the egg could be."
10. The mother bird suddenly remembered that she hasn't laid any egg today, the egg was still inside of her. She pushed hard and laid the egg.
11. Wonderful! The mother bird was so happy that all her four eggs were safe in the nest and none of them were missing.

Lesson Three – Text: Making a Joke

One day, daddy and Zhong-Zhong were eating lunch.
Daddy said, "I can eat two buns, and drink a glass of milk."
Daddy asked Zhong-Zhong: "How about you? How many buns can you eat?"
Zhong-Zhong said, "I don't want to eat buns, I want to eat nine heads of cattle, and a lot of fish."
Daddy said, "Is that so? That's really horrible!"
Zhong-Zhong said, "Ha Ha! What I want to eat is animal crackers!"

Lesson Three – Story: You You's Lunch

1. It's time for lunch break at school! Four kids had their lunch together.
2. "Great! I have bread and juice for lunch." said Qing Qing.
3. "Cool! I have ham sandwich and milk for lunch," said Ming Ming.
4. "Awesome! I have dumplings, corn chowder and some peanuts for lunch," said Zhong Zhong.
5. You You opened his lunch box and found it empty.
6. All the kids started laughing.
7. "Oops! I forgot to pack my lunch!" said You You.
8. "That's okay," said Qing Qing, "I can share my bread with you."
9. "It's all right," said Ming Ming, "I can share my milk with you."
10. "Don't worry," said Zhong Zhong, "I can share my dumplings and peanuts with you."
11. "This is a great lunch after all!" said You You, "Thank you all very much!"

Lesson Four – Text: Take a Guess

Every day teacher Lin sees two children playing at her front door.
One day, teacher Lin asked, "Hey, you two kids, who is the older brother and who is the younger brother?"
Zhong-Zhong immediately said, "Ge Ge (older brother)! Neither of us will tell, let her guess."

Teacher Lin smiled and said, "Ah! I guessed it, he is the older brother, and you are the younger one."

Lesson Four – Story: Uncle's Riddle
1. Both Zhong Zhong and his older brother said their uncle's hat looked very nice.
2. "Let me tell you a riddle, and I will give my hat to whoever guesses the right answer first," said their uncle.
3. "What has 4 legs when young,…" he said,
4. "And 2 legs when growing up, but 3 legs when old," asked the uncle.
5. Zhong Zhong and his brother couldn't guess the answer no matter how hard they tried.
6. The older brother suddenly saw an elder walked by. "I got it!" he said smilingly.
7. "The answer is a human," said the brother, "Baby crawls so he's got 4 legs.
8. When he starts walking, he's got 2 legs.
9. Finally when he gets old, he needs a walking stick, so that's when he has 3 legs."
10. "You got it right!" said the uncle, "The hat is yours!"
11. "You can have it," the older brother told Zhong Zhong. "No, I can't take it, it's yours" said Zhong Zhong.

Lesson Five – Text: Please Open the Door

Pong! Pong! Pong! "Please open the door."
"May I ask who you are?"
"This is Grandma Tian. I am brining some fruit for you to eat. Hurry up, come over and open the door!   "
"No, no, you are not Grandma Tian. Please go away right now."
Pong! Pong! Pong! "Please open the door."
"May I ask who you are?"
"This is big brother Gao. I am brining books for your dad and mail for your mom. Hurry up, come over and open the door!"
"Won't open! Won't open! I won't open it! Mom and dad have not come home yet, I won't open the door for anyone."

Lesson Five – Story: Zhong Zhong's Front Tooth
1. "I just lost my front tooth," said Qing Qing, "Look! I got this story book from the tooth fairy!"
2. "I lost my front tooth last week," You You said, "The tooth fairy gave me a dollar!"
3. "My front tooth is loose, but it hasn't fallen yet," said Zhong Zhong.
4. "Try to push it with your tongue!" You You suggested. Zhong Zhong used his tongue to push the tooth very hard, but it didn't work.
5. "Try to bite on an apple!" Qing Qing suggested.
6. Zhong Zhong bit on an apple very hard, but somehow he slipped and fell on the ground.
7. "Ha! My front tooth is gone!" yelled Zhong Zhong, "Oh no! I can't find it!".
8. "Come on everyone, let's help Zhong Zhong find his tooth!" Ming Ming said.
9. "I found it! My front tooth is here!" Zhong Zhong exclaimed.
10. Zhong Zhong went home happily, he put the tooth in a box, and put the box and a letter under his pillow.
11. The letter said, "Dear Tooth Fairy, I would like to have a hat like my brother's, is that okay? Sincerely yours, Zhong Zhong."

Lesson Six – Text: Song of the Ocean
Little River, Little River,
What song are you singing?
It sounds wonderful, so please tell me.

I have flown down from the high mountain,
I am singing the song of the mountain.

Little River, Little River,
What song are you singing?
It sounds wonderful, so please tell me.

I am flowing towards the ocean,
I am singing the song of the ocean.

Poem: To Ascend the Guan-Que Tower (Tower of Crane and Sparrow)
Modified from a translation by Innes Herdan

The sun is disappearing behind the mountain,
The Yellow River is flowing towards the ocean,
If one desires to view the thousand-mile vista,
One needs to climb another story up the pagoda.

(Editor's Note – This poem not only talks about climbing up the pagoda to see further, but also implies to put in the hard work to achieve a higher level of excellence.)

Lesson Six – Story: The Trip of the Little Drops of Water
1. The little drops of water woke up one by one.
2. "It feels so good!" they said, "Let's go traveling."
3. They flowed to the river from the meadow while singing.
4. They traveled one mile, two miles, three miles, and flowed to the ocean from the river while still singing.
5. "What are you singing? It sounds so good!" asked Mr. Sun, "Come up to the sky and play!"
6. The little drops became bigger and lighter, and they flew up to the sky.
7. They hugged each other and turned into clouds.
8. When the wind blew, they said, "It's getting cold, let's go home!"
9. So the drops of water jumped back to the ground. "It's raining! It's raining!" said a frog.
10. The rain drops fell on the trees, flowers, grass…. They got so tired and fell asleep.
11. Ah! The little drops woke up again, they said, "It feels so good! Let's go traveling!"

Lesson Seven – Text: Spring and the Spring Festival (Chinese New Year)

Who knows how many days there are in a year?
I do! There are three hundred and sixty five days in a year.
Who knows how many months there are in a year?
I do! There are twelve months in a year.

Who knows, what festival (holiday) is Chinese New Year?
I do! I do!
Chinese New Year is the Spring Festival.

Spring Is Coming
Sha! Sha! Sha!
Who is outside the window?
I am a little snow flake.
I have only come to say goodbye.
Next winter,
I will come back,
To give you a world of snowy white!

Sha! Sha! Sha!
Who is outside the window?
I am a little raindrop.
I have only come to tell you,
Spring is almost here.
With the spring wind, I want to
Give you a world of colors.

Lesson Seven – Story: The Story of the Monster Nian
1. The legend says, long ago, there was a ferocious and lazy monster called Nian who lived in the mountains and always was asleep.
2. Every winter, the monster was up for one day, and it came down from the mountains after dark to find something to eat.
3. Nian liked to eat animals or humans. Nobody dared to go out after dark.
4. Once Nian came down before it was dark, and he heard some cracking noise, he got scared and ran away.
5. Then he saw someone in red sitting outside of the door, and Nian was frightened away and ran back to the mountains.
6. Someone figured out that Nian was afraid of the color of red, so he told everyone to glue some red paper outside of their doors, also burn bamboo to make the cracking noise.
7. As a result, Nian did not dare to come down from the mountains on that day. Next morning, everyone congratulated each other that they survived.
8. Nian never came out again, someone guessed that Nian was starved to death.
9. Ever since then that evening each year has been called "New Year's Eve". Every family set off the firecrackers and get together to have a big feast.
10. At the night of the New Year's Eve, every family holds a memorial ceremony for the ancestors, the kids have to wish the seniors a happy New Year in a respectful way, and the seniors need to give the youngsters red envelops with money inside.
11. The next day is the New Year's Day. Everyone greets each other, "Congratulations! Happy New Year!"

Lesson Eight – Text: How to Get Home
It is getting dark! It is getting dark!
How does little horse go home? Little horse can run back home.
How does a frog go home? A frog can jump back home.

How does little fish go home? Little fish can swim back home.
How does little bird go home? Little bird can fly back home.
How does a snail go home? A snail can crawl back home.
It is getting dark! It is getting dark!
How do younger sister and I go home?
Younger sister and I will walk back home together.

Lesson Eight – Story: The Story of the Twelve Animals of the Chinese Zodiac

1. The Jade Emperor wanted to pick twleve animals to be the Chinese Zodiac. He invited the animals to have lunch in the Gate of South Heaven on the day of the New Year.
2. The cat told the rat when he heard about it, and they agreed to go to the Gate of South Heaven together in the morning of the New Year's Day.
3. But the rat couldn't fall asleep on the night before, so he got up and went to the Gate of South Heaven by himself.
4. So the rat was the first animal who got there. The ox got there after him.
5. Not long after that, the tiger ran over, the rabbit hopped over, the dragon flew over, and the snake crawled over.
6. When morning came, the rooster awakened the horse, the goat, the monkey, the dog, and the boar.
7. The horse was the first in line, the boar was the last, all 6 animals arrived at the Gate of South Heaven.
8. At noon, the Jade Emperor announced to them, "Congratulations! You 12 animals will represent the 12 Chinese Zodiac.
9. Since the rat arrived first, the first year will be the Year of the Rat, and the rest of the 11 animals wil be in the order of ox, tiger, rabbit, dragon, snake, horse, goat, monkey, rooster, dog, and boar."
10. Then they noticed that the cat was not there. "How come the cat isn't here?" they asked the rat. "Oh, he is still asleep," answered the rat, "I didn't wake him up."
11. "You are finished!" they all warned the rat, "The cat is not going to forgive you!"

Lesson Nine – Text: How Many Books

Teacher asked Zhong-Zhong, "If I give you a book first, then give you three more, how many books do you have altogether?"
Zhong-Zhong said, "Four books."
Teacher asked again, "If I give you three books, then give you one more, how many do you have altogether?"
Zhong-Zhong immediately said, "Eight books."
Teacher asked, "You just said four books. Why do you say eight books now?"
Zhong-Zhong said, "Haven't you given me four books already?"

Xiao-Xue (Little Snow) Has a Pen in Her Hand

Xiao-Xue has a pen in her hand.
What kind of pen? A Chinese brush pen (made of animal hair).
What kind of hair? Goat's hair.
What kind of goat? Mountain goat.
What kind of mountain? A high mountain.

On the high mountains the mountain goats run,
The mountain goats have long white hair,
The white hair is good for making Chinese brush pens,
Brush pens are good to use, good to use,
Take up the brush pen to paint a little yellow bird.

Lesson Nine – Story: The Magical Paintbrush of 小雪

1. Long time ago, there was an orphan named 小雪. She liked drawing very much, but she didn't have the money for a paintbrush.
2. One night 小雪 dreamed that an old woman gave her a big paintbrush.
3. When she woke up, she saw she was really holding the paintbrush. She was so happy that she drew a bird on her palm.
4. Suddenly the bird flew away from her palm. She realized that this was a magical paintbrush.
5. She thought that if she could draw a lot of things for the poor, she could help them to have a better life.
6. So she went to the houses of the poor people to draw food and things they needed for them.
7. The greedy King heard about this, he kept 小雪 as a prisoner in the palace, and ordered her to draw a lot of things for him.
8. One day the king wanted to sail on a ship, so he ordered 小雪 to draw a big ship, the ocean and also wind for him.
9. The king got on the ship, and the gusty wind made the ship sailed really fast.
10. But the wind got so fierce later that the ship was turned over, and the king never returned.
11. 小雪 left the palace, and continued to draw things for the poor. Nobody ever found out where she lived.

Lesson Ten – Text: Little Mouse Bei-Bei

There is a cute little mouse called Bei-Bei.
He lives with daddy and mommy in a small hole.
One day, Bei-Bei was playing outside the hole.
Before long, a big cat saw Bei-Bei and jumped over to catch him.
Bei-Bei ran inside the hole in a hurry.
Daddy and mommy saw that, they got up their strength and imitated a dog barking,
"Woof! Woof! Woof! Go away! Go away!"
Hearing the dog's barking, the big cat got scared and ran away.
Bei-Bei asked, "Mommy, what did you just say to the cat? How come I could not understand it?"
Mommy said, "That was dog's language."
Bei-Bei said, "I want to learn that language too."
Mommy said, "Very good, learning several more languages is really useful."

Lesson Ten – Story: Journey to the West – The Mountain of Flowers and Fruit

1. It is said that once upon a time, there was a magical mountain in the far away seas, which was known as the Mountain of Flowers and Fruit.
2. One day, suddenly, a rock in the mountain burst open, giving birth to a stone monkey.

3. This monkey opened his mouth and he could talk right away. He was very adorable that all the other monkeys liked to play with him.
4. One day as they were playing, they came upon a curtain of water. "Great water! Great water!" they clapped their hands and yelled.
5. An old white-haired monkey suggested that whoever was brave enough to pass through the curtain of water would be their king.
6. The stone monkey volunteered, "I will go!" And he jumped through the curtain of water.
7. There was a cave inside of the water curtain. On the entrance of the cave there was an inscription which said, "The Mountain of Flowers and Fruit is Blessed. The Cave of the Water Curtain is the Paradise."
8. When he went inside of the cave, he saw stone beds, benches, pots and bowls. He jumped up and down and shouted for joy.
9. Then he called all the other monkeys to jump over, and they all lived in the cave after that. They were so happy that they made the stone monkey their king.
10. Their life was good, but the Monkey King was worried that there were monsters who would intrude, what could he do if that happened? He wanted to go somewhere to learn fighting skills.
11. The monkeys saw him off on a boat the next day. "Please come back soon! Your Majesty!" said all the monkeys.

美洲華語課本第二冊生字、生詞中英譯對照表

課數	生字	詞語	英譯	課數	生字	詞語	英譯
第一課	niú 牛ㄋㄧㄡ	niú yóu 牛ㄋㄧㄡ油ㄧㄡ	butter	第二課	duǒ 朵ㄉㄨㄛ	yì duǒ huā 一ㄉㄨㄛ朵花ㄏㄨㄚ	a flower
		niú ròu 牛ㄋㄧㄡ肉ㄖㄡ	beef		duo 朵ㄉㄨㄛ	ěr duo 耳ㄦ朵ㄉㄨㄛ	ear
	mǎ 馬ㄇㄚ	mǎ lù 馬ㄇㄚ路ㄌㄨ	street; road		xiǎng 想ㄒㄧㄤ	xiǎng yào 想ㄒㄧㄤ要ㄧㄠ	would like to; to hope; to plan
		mǎ tǒng 馬ㄇㄚ桶ㄊㄨㄥ	toilet			xiǎng bù chū lái 想ㄒㄧㄤ不ㄅㄨ出ㄔㄨ來ㄌㄞ	cannot think of
	niǎo 鳥ㄋㄧㄠ	xiǎo niǎo 小ㄒㄧㄠ鳥ㄋㄧㄠ	little bird		yào 要ㄧㄠ	bú yào 不ㄅㄨ要ㄧㄠ	do not; do not want
		niǎo cháo 鳥ㄋㄧㄠ巢ㄔㄠ	bird nest			zhòng yào 重ㄓㄨㄥ要ㄧㄠ	Important
	yú 魚ㄩ	shā yú 鯊ㄕㄚ魚ㄩ	shark		qīng 青ㄑㄧㄥ	qīng cài 青ㄑㄧㄥ菜ㄘㄞ	green vegetable
		diào yú 釣ㄉㄧㄠ魚ㄩ	to fish			qīng jiāo 青ㄑㄧㄥ椒ㄐㄧㄠ	green pepper
	míng 名ㄇㄧㄥ	míng zi 名ㄇㄧㄥ字ㄗ	name		chī 吃ㄔ	chī fàn 吃ㄔ飯ㄈㄢ	to eat; to have a meal
		yǒu míng 有ㄧㄡ名ㄇㄧㄥ	famous			gěi nǐ chī 給ㄍㄟ你ㄋㄧ吃ㄔ	to give you something to eat
	zì 字ㄗ	wén zì 文ㄨㄣ字ㄗ	word; character		yáng 羊ㄧㄤ	shān yáng 山ㄕㄢ羊ㄧㄤ	goat
		xiě zì 寫ㄒㄧㄝ字ㄗ	to write			mián yáng 綿ㄇㄧㄢ羊ㄧㄤ	sheep
	mā 媽ㄇㄚ	mā ma 媽ㄇㄚ媽ㄇㄚ	mother		yán 言ㄧㄢ	yǔ yán 語ㄩ言ㄧㄢ	language
	ér 兒ㄦ	ér zi 兒ㄦ子ㄗ	son			fāng yán 方ㄈㄤ言ㄧㄢ	dialect
		nǚ ér 女ㄋㄩ兒ㄦ	daughter		qǐng 請ㄑㄧㄥ	qǐng zuò 請ㄑㄧㄥ坐ㄗㄨㄛ	please have a seat.
	fēn 分ㄈㄣ	fēn shù 分ㄈㄣ數ㄕㄨ	score; fraction			qǐng jià 請ㄑㄧㄥ假ㄐㄧㄚ	to ask for leave of absent
		fēn kāi 分ㄈㄣ開ㄎㄞ	to separate; to set apart		zhǎo 找ㄓㄠ	zhǎo qián 找ㄓㄠ錢ㄑㄧㄢ	to give change
	bǎ 把ㄅㄚ	mén bǎ 門ㄇㄣ把ㄅㄚ	doorknob			zhǎo dào 找ㄓㄠ到ㄉㄠ	found
		bǎ shǒu 把ㄅㄚ手ㄕㄡ	handle		huáng 黃ㄏㄨㄤ	huáng sè 黃ㄏㄨㄤ色ㄙㄜ	yellow
	yòu 又ㄧㄡ	yòu shì 又ㄧㄡ是ㄕ	also; again			dàn huáng 蛋ㄉㄢ黃ㄏㄨㄤ	egg yolk
		yòu lái le 又ㄧㄡ來ㄌㄞ了ㄌㄜ	came again; did again		jiù 就ㄐㄧㄡ	jiù shì 就ㄐㄧㄡ是ㄕ	exactly; that is
	hé 合ㄏㄜ	hé zuò 合ㄏㄜ作ㄗㄨㄛ	to cooperate			jiù lái 就ㄐㄧㄡ來ㄌㄞ	to come right away
		hé qǐ lái 合ㄏㄜ起ㄑㄧ來ㄌㄞ	to close up; to add up to; to put things together		shuō 說ㄕㄨㄛ	shuō huà 說ㄕㄨㄛ話ㄏㄨㄚ	to speak; to talk; to say
						shuō huǎng 說ㄕㄨㄛ謊ㄏㄨㄤ	to tell a lie

美洲華語課本第二冊生字、生詞中英譯對照表

課數	生字	詞語	英譯
第三課	bà 爸	bà ba 爸爸	father
	kě 可	kě shì 可是	but; however
		kě yǐ 可以	can; may
	yǐ 以	yǐ qián 以前	before
		yǐ wéi 以為	to regard…as
	pà 怕	kě pà 可怕	frightening; scary
		hài pà 害怕	to be afraid of
	wǔ 午	zhōng wǔ 中午	noon
		wǔ fàn 午飯	lunch
	hěn 很	hěn hǎo 很好	very good; great
		hěn dà 很大	very big (or large)
	tài 太	tài tai 太太	one's wife; a respectful title for women
		tài dà le 太大了	too big
	nǎi 奶	niú nǎi 牛奶	milk
		nǎi nai 奶奶	grandma
	hái 還	hái méi lái 還沒來	has not come yet
	huán 還	huán gěi 還給	to return something to somebody
	bāo 包	shū bāo 書包	backpack
		bāo zi 包子	steamed stuffed bun
	zhēn 真	zhēn de 真的	real; true; really
		zhēn hǎo wánr 真好玩兒	very fun
	gè 個	yí ge 一個	one; a; an
		gè zi 個子	height

課數	生字	詞語	英譯
第四課	qián 前	qián tiān 前天	the day before yesterday
		qián mian 前面	the front
	mén 門	kāi mén 開門	to open a door
		mén líng 門鈴	door bell
	cāi 猜	cāi cāi kàn 猜猜看	to guess
		cāi quán 猜拳	to decide with a finger-guessing game
	liǎng 兩	liǎng ge 兩個	two; a pair
		liǎng miàn 兩面	both sides; two sides
	men 們	nǐ men 你們	you (plural)
		wǒ men 我們	we; us
	dōu 都	dōu yǒu 都有	all have
	dū 都	shǒu dū 首都	the capital
	shéi 誰	shéi de 誰的	Whose …?
		shéi lái le 誰來了	Who has come?
	lǎo 老	lǎo rén 老人	old person
		lǎo shǔ 老鼠	rat; mouse
	gē 哥	gē ge 哥哥	elder brother
		biǎo gē 表哥	elder male cousin
	dì 弟	dì di 弟弟	younger brother
		táng dì 堂弟	younger male cousin
	wèn 問	qǐng wèn 請問	May I ask…？
		wèn tí 問題	question
	měi 每	měi tiān 每天	everyday
		měi cì 每次	every time

美洲華語課本第二冊生字、生詞中英譯對照表

課文	生字	詞語	英譯
第五課	給 gěi	給你 gěi nǐ	to give you (something)
		拿給 ná gěi	to give
	來 lái	過來 guò lái	to come here; Come here!
		再來玩兒 zài lái wánr	Come again.
	送 sòng	送給 sòng gěi	to give something
		送他回家 sòng tā huí jiā	to give him a ride home
	回 huí	回家 huí jiā	to return home; to go home
		回答 huí dá	to answer
	家 jiā	家長 jiā zhǎng	parent
		畫家 huà jiā	artist; painter
	高 gāo	高興 gāo xìng	happy
		高速公路 gāo sù gōng lù	freeway; highway
	過 guò	過生日 guò shēng ri	to celebrate one's birthday
		過年 guò nián	to celebrate the New Year
	書 shū	圖書館 tú shū guǎn	library
		書桌 shū zhuō	desk
	快 kuài	快樂 kuài lè	happy
		快點兒 kuài diǎnr	(Do something) quickly!
	果 guǒ	水果 shuǐ guǒ	fruit
		果汁 guǒ zhī	fruit juice
	開 kāi	開車 kāi chē	to drive a car
		開學 kāi xué	start school; back to school
	信 xìn	信封 xìn fēng	envelope
		信用卡 xìn yòng kǎ	credit card

課數	生字	詞語	英譯
第六課	河 hé	黃河 huáng hé	Yellow River
		河馬 hé mǎ	hippopotamus
	什 shén	有什麼 yǒu shén me	what (used as an exclamation)?
		什麼 shén me	what (used in either question or as an exclamation)
	麼 me	這麼 zhè me	like this
		多麼 duō me	how (good, beautiful, etc.)
	入 rù	入口 rù kǒu	entrance
	流 liú	流汗 liú hàn	to sweat
		流星 liú xīng	meteor; shooting star
	海 hǎi	海邊 hǎi biān	seashore
		海豚 hǎi tún	dolphin
	從 cóng	從前 cóng qián	once upon a time; before
		從來 cóng lái	from the beginning
	到 dào	遲到 chí dào	to come late; to be late
		到學校 dào xué xiào	to go to school
	得 de	跳得高 tiào de gāo	to jump high
	得 dé	得到 dé dào	to get
	里 lǐ	一公里 yì gōng lǐ	one kilometer
		一百里 yì bǎi lǐ	one hundred miles
	歌 gē	兒歌 ér gē	nursery rhyme
		國歌 guó gē	national anthem
	裡 lǐ	裡面 lǐ miàn	inside
		家裡 jiā lǐ	at home; inside a home

課數	生字	詞語	英譯
第七課	xīn 新	xīn nián 新年	the New Year
		xīn niáng 新娘	bride
	nián 年	yì nián 一年	one year
		èr nián jí 二年級	second grade (at school)
	chūn 春	chūn tiān 春天	spring
		chūn jià 春假	spring break
	jǐ 幾	jǐ ge 幾個	How many…?
		jǐ cì 幾次	How many times…?
	gào 告	gào zhuàng 告狀	to tattle; to tell on somebody
	sù 訴	gào su 告訴	to tell somebody something
	dōng 冬	dōng tiān 冬天	winter
		dōng mián 冬眠	to hibernate
	wài 外	wài tào 外套	overcoat; jacket
		wài guó rén 外國人	foreigner
	zài 再	zài jiàn 再見	Good-bye. or See you again.
		zài lái yí cì 再來一次	one more time; again
	zhī 知	zhī dào 知道	to know
		zhī shí 知識	knowledge
	dào 道	rén xíng dào 人行道	sidewalk; walkway
		dào qiàn 道歉	to apologize
	zhǐ 只	zhǐ yǒu 只有	only have
		zhǐ yào 只要	to only want; all one has to do is to....
第八課	pá 爬	pá shù 爬樹	to climb a tree
		pá shān 爬山	to climb a mountain
	pǎo 跑	sài pǎo 賽跑	foot race
		pǎo bù 跑步	to run
	tiào 跳	tiào shéng 跳繩	to jump rope
		tiào wǔ 跳舞	to dance
	gēn 跟	fān gēn dǒu 翻跟斗	to somersault
		gēn zhe 跟著	to follow (someone)
	qǐ 起	qǐ chuáng 起床	to get up
		yì qǐ 一起	to do something together
	wā 蛙	qīng wā 青蛙	frog
		wā jìng 蛙鏡	swimming goggle
	yóu 游	yóu yǒng 游泳	to swim
		yóu yǒng chí 游泳池	swimming pool
	hēi 黑	hēi sè 黑色	black
		hēi yè 黑夜	dark night
	fēi 飛	fēi pán 飛盤	Frisbee
		fēi jī 飛機	airplane
	zěn 怎	zěn me 怎麼	Why? How? or What?
		zěn me bàn 怎麼辦	What can (I, etc.) do about this?
	huì 會	bú huì 不會	can't; unable
		kāi huì 開會	to hold a meeting
	mèi 妹	mèi mei 妹妹	younger sister

課數	生字	詞語	英譯
第九課	zhǎng 長	zhǎng dà le 長大了	have grown up
	cháng 長	cháng kù 長褲	pants; slacks
	běn 本	běn zi 本子	notebook
		yì běn 一本	a (book)
	rú 如	rú guǒ 如果	if
		jiǎ rú 假如	if
	xiān 先	xiān zǒu le 先走了	to go first; left first
		xiān sheng 先生	mister; sir; husband
	ná 拿	ná kāi 拿開	to take something away
		ná zhe 拿著	to hold (something)
	gòng 共	yí gòng 一共	altogether
		gòng tóng 共同	common to everyone
	huà 畫	tú huà 圖畫	painting; picture
		huà tú 畫圖	to draw; to paint
	bǐ 筆	qiān bǐ 鉛筆	pencil
		máo bǐ 毛筆	writing brush
	wèi 為	wèi shén me 為什麼	why
		yīn wèi 因為	because; since; as
	cái 才	gāng cái 剛才	one moment ago
		cái lái 才來	just arrived
	máo 毛	máo yī 毛衣	woolen sweater; sweater
		méi mao 眉毛	eyebrows
	hòu 後	yǐ hòu 以後	after; afterward
		hòu miàn 後面	behind

課數	生字	詞語	英譯
第十課	huà 話	diàn huà 電話	telephone
		xiào huà 笑話	joke
	dòng 洞	shān dòng 山洞	cave; tunnel
		pò dòng 破洞	hole
	xué 學	xué shēng 學生	student; pupil
		xué xiào 學校	school
	ài 愛	kě ài 可愛	lovely; cute
		wǒ ài nǐ 我愛你	I love you.
	tóng 同	yì tóng 一同	together
		tóng xué 同學	schoolmate
	jiǔ 久	hěn jiǔ 很久	for a long time
		bù jiǔ 不久	not long
	chū 出	chū lái 出來	come out; came out
		chū qù 出去	go; went
	lì 力	lì qì 力氣	physical strength or power; an effort
		yòng lì 用力	to exert oneself; to put forth one's strength
	bèi 貝	bèi ké 貝殼	seashell; shell
		bǎo bèi 寶貝	cherished things
	jìn 進	jìn lái 進來	to come in
		jìn bù 進步	advance; progress; improve
	yòng 用	yòng gōng 用功	to study hard
		yǒu yòng 有用	useful
	zhù 住	zhù zhǐ 住址	address
		zhù zài nǎr 住在哪兒	Where (does one person / do you) live?